ARAME FARPADO NO PARAÍSO

ARAME FARPADO NO PARAÍSO

O Brasil visto de fora
e um pastor visto de dentro

TIAGO CAVACO

Copyright © 2021 por Tiago Cavaco
Publicado por Editora Mundo Cristão

Os textos das referências bíblicas foram extraídos da *Almeida Revista e Atualizada*, 2ª ed. (RA), da Sociedade Bíblica do Brasil, salvo indicação específica.

Todos os direitos reservados e protegidos pela Lei 9.610, de 19/02/1998.

É expressamente proibida a reprodução total ou parcial deste livro, por quaisquer meios (eletrônicos, mecânicos, fotográficos, gravação e outros), sem prévia autorização, por escrito, da editora.

Edição
Daniel Faria

Revisão
Natália Custódio

Produção e diagramação
Felipe Marques

Colaboração
Ana Luiza Ferreira

Ilustrações
Danilo Zamboni

Capa
Jonatas Belan

CIP-Brasil. Catalogação na publicação
Sindicato Nacional dos Editores de Livros, RJ

C363a

Cavaco, Tiago, 1977-
 Arame farpado no paraíso : o Brasil visto de fora e um pastor visto de dentro / Tiago Cavaco. - 1. ed. - São Paulo : Mundo Cristão, 2021.

 ISBN 978-65-86027-61-7

 1. Cavaco, Tiago, 1977-. 2. Biografia religiosa. 3. Cristianismo. 4. Espiritualidade. I. Título.

20-66868
 CDD: 922.409469
 CDU: 929:27(469)

Categoria: Espiritualidade
1ª edição: fevereiro de 2021

Publicado no Brasil com todos os direitos reservados por:
Editora Mundo Cristão
Rua Antônio Carlos Tacconi, 69
São Paulo, SP, Brasil
CEP 04810-020
Telefone: (11) 2127-4147
www.mundocristao.com.br

*Para a Ana Rute,
sempre, para a Ana Rute.*

Sumário

Apresentação   9
Prelúdio   13

1. A Fortaleza de um Crime   19
2. O retrato do autor, enquanto criança, chorando encostado à muralha, junto de seu pai   31
3. Ver São Paulo pela primeira vez   53
4. A chegada aos púlpitos brasileiros   67
5. Ser mau é o segredo para não ter medo de mudar   81
6. A alegria é a garrafa em que o brasileiro se encharca e o português nem toca   95
7. A bênção de cristãos com as narinas cheias do cheiro de enxofre   117
8. Sem crime praticado não há redenção possível   145
9. Quase morrer no Brasil   173
10. Quase viver em Portugal   189

Poslúdio   237
Sobre o autor   239

Apresentação

Conheci Tiago Cavaco em 2012, num pequeno café num final de tarde chuvoso em Lisboa. Havia feito questão de conhecê-lo após ter sido alertado por um dos nossos editores de que havia em Portugal um escritor cristão de grande talento que vinha postando reflexões e provocações num *blog* que quase ninguém no Brasil conhecia. Na época a Mundo Cristão estava fincando raízes naquele país; estávamos em busca de escritores locais. Tínhamos grandes planos para a nossa filial portuguesa.

Naquela tarde, enquanto tomávamos as nossas "bicas cheias", Tiago descreveu para mim o seu paradoxal e atípico campo de atuação: falou de suas carreiras paralelas de roqueiro e pastor batista. Expôs algumas preferências e influências, poucas delas naturais ou comuns seja a *punk rockers* seja a pastores batistas. Percebi que ele não cabia em estereótipos ou rótulos apressados. Não discutimos nenhum projeto editorial específico, mas achei importante abrir as portas da editora para um relacionamento futuro. Um dos aspectos mais gratificantes do trabalho editorial é a oportunidade de descobrir novos talentos, novas vozes, escritores que trazem à pauta novas ideias ou, pelo menos, maneiras inéditas de iluminar a verdade. Saí daquele encontro convicto de que Tiago tinha algo a dizer.

Nos meses seguintes, a diretoria da editora se assustou com a tempestade econômica que se formava sobre o Brasil, e ficou claro que precisaríamos concentrar todos os nossos esforços em nossa sede em São Paulo. Desistimos dos planos em Portugal e voltamos para cuidar da casa. Hoje, cientes da profunda recessão que abateu o Brasil naqueles anos, não temos dúvidas sobre a decisão que tomamos. Mas se é verdade que saímos de Portugal, sabemos também que Portugal não saiu de nós. Sonhamos com uma eventual volta aos leitores portugueses, com livros que falem, de fato, a língua daquele povo.

Tiago acabou sendo reconhecido pelo talento que é. Ele foi descoberto e ouvido. Hoje, tem livros editados em Portugal e no Brasil. Segue seu ministério como pastor da Igreja da Lapa, em Lisboa. Sua teologia, seu humor, sua maneira peculiar de extrair significados até das dimensões mais imperceptíveis da vida fazem dele uma voz instigante para muitos. Tiago mostra que é possível ser um cristão comprometido com todas as dimensões do evangelho sem abrir mão do melhor da cultura, da literatura, da música e da arte que as atuais gerações produzem.

Agora, após tanto tempo, a Mundo Cristão finalmente lança uma obra do Tiago Cavaco. E, como não poderia ser mais oportuno, é um livro que cruza fronteiras geográficas, emocionais e espirituais entre Portugal e Brasil. *Arame farpado no paraíso* é uma espécie de diário de viagem teológico. Aqui ele conta sobre uma viagem que fez ao Brasil com o objetivo de divulgar livros e visitar igrejas. O que ocorreu, no entanto, foi muito mais que um mero passeio turístico. O subtítulo do livro, *O Brasil visto por fora e um pastor visto por dentro*, sinaliza que este registro de viagem passa não somente por cartões postais brasileiros, mas também pelos marcos miliários interiores de um escritor e teólogo educado num lugar do planeta onde o cristianismo evangélico é minoritário.

Na melhor literatura de viagem, escritores como Carlo Levi, Mark Twain e Anthony Trollope embarcam em peregrinações que revelam as idiossincrasias, os hábitos e as particularidades de culturas diferentes das suas. Mas é justamente no encontro com o outro, com o que lhes é inusitado, que se veem obrigados a rever os próprios paradigmas, forçando nova compreensão, justificativa, questionamento ou abandono de pressupostos. Para o escritor com sensibilidade teológica, essas observações podem expandir o escopo de compreensão sobre criação, adoração, hermenêutica bíblica e a natureza da relação entre Deus e seus filhos. Tiago se emociona com detalhes que para todo brasileiro são corriqueiros e se assusta com a tranquilidade que a população demonstra ao relatar histórias de crime e tragédia. Mais frequentemente, admira-se da afetividade que parece deixar toda a vida brasileira mais leve.

O Brasil que Tiago visita e tenta entender é o Brasil evangélico do século 21, um espaço tão diverso e heterogêneo que os próprios evangélicos do país ainda não o entendem por completo. Assim, o que ele descreve com bom humor e referências excêntricas nos ajuda a nos enxergarmos de forma mais objetiva, com novo apreço por aquilo que estamos de fato conquistando e com novo assombro em relação às aberrações que se instalam entre nós.

O que mais espantará alguns leitores será certamente o texto que ele escolhe para compor as epígrafes que introduzem quase todos os capítulos. Nelas não encontramos frases inspiradoras de Agostinho ou C. S. Lewis, para mencionar dois heróis do autor. As citações são de um assassino, um compatriota seu que veio ao Brasil para praticar os seus crimes. Não sem alguma medida de comicidade, Tiago se reconhece no estrangeiro perdido que se desdobra para integrar-se à cultura local. São nos extremos que temos condições de enxergar a realidade sobre nós mesmos e a distância milimétrica que nos separa da mais pura desgraça.

Por que ler este diário de viagem? Paul Theroux disse que "as pessoas leem literatura de viagem porque também pretendem visitar o mesmo local, ou então porque nunca viajariam para aquele lugar". Em *Arame farpado no paraíso*, há muitas razões para conhecer o Brasil e mais outras tantas para evitar o país. Há, como sempre, aqueles entre nós que enxergam arame farpado e aqueles outros que conseguem vislumbrar o paraíso. Se a viagem que o autor empreendeu para o Brasil é fascinante, a nossa excursão pela cabeça de Tiago Cavaco é ainda mais arrebatadora.

Mark Carpenter
Editora Mundo Cristão

* * *

Uma nota editorial: decidimos não "traduzir" o texto de Tiago Cavaco para o português brasileiro, salvo alguns poucos casos em que, a nosso ver, as diferenças linguísticas prejudicariam a compreensão do leitor. Em geral, mantivemos o vocabulário, a sintaxe e as expressões idiomáticas empregadas pelo autor, a fim de preservar seu estilo de redação e seu olhar estrangeiro sobre o que nos é familiar.

Prelúdio

"Um grau certamente elevado de educação é atingido, quando o homem vai além de conceitos e temores supersticiosos e religiosos, deixando de acreditar [...] no pecado original, por exemplo, ou não mais se referindo à salvação das almas", escreveu Friedrich Nietzsche em *Humano, demasiado humano*, de 1878.[1] "Pois, segundo a probabilidade histórica, é bem possível que um dia os homens se tornem geralmente céticos nesse ponto."

Quando escreveu as palavras acima, Nietszche talvez exprimisse mais uma esperança que uma certeza. Mas o fato é que vivemos hoje, no mundo dito ocidental, na profecia de Nietzsche cumprida: é improvável acreditar no pecado original e, por causa disso, salvamo-nos de precisarmos ser salvos. Claro que o Ocidente não é o mundo todo. Mas a grande parte das pessoas que, nesta

---

[1] *Humano, demasiado humano: Um livro para espíritos livres* (São Paulo: Companhia de Bolso, 2008).

Sou daqueles cristãos que encontra mais em comum com Nietzsche do que com alguns cristãos (uma pessoa que nunca se virou contra Deus dificilmente o encontrará). Algumas das críticas mais certeiras que Nietzsche fez ao cristianismo apenas tornam o meu mais sólido. Logo, leio-o com prazer e quase devoção. O livro *Humano, demasiado humano* é até agora o meu preferido porque, se é certo que confronta a religião, certamente confronta também a religião que sobra quando Deus desaparece. A falta de fé de Friedrich é blasfema, mas o seu ceticismo em relação à humanidade é bíblico. Vale a pena citar o artigo "The ghost at the atheist feast: was Nietzsche right about religion?", do ateu britânico John Gray, publicado na *New Statesman*, em 13 de

fatia do planeta, continue a acreditar no pecado e na necessidade de a alma ser salva quase certamente se sentirá uma minoria que muitos verão como um estágio mais primitivo da história universal, ainda por agarrar a marcha imparável do progresso da humanidade.

Como é fácil de calcular, faço parte dessa eventual minoria que, na fatia do planeta que é o Ocidente, continua crente de que todas as pessoas que existem, já existiram ou existirão, são por natureza pecadoras e, por isso, precisam salvar a alma. É verdade que fui educado a acreditar nisso, tendo nascido numa família cristã congregada numa igreja batista, mas também é verdade que mais tarde me converti à religião na qual fui educado.

Para quem acredita que o que o faz o mundo girar são as probabilidades e não a validade de decisões pessoais, mais ou menos conscientes, converter-se à religião na qual se foi educado é uma espécie de crime intelectual. Também por causa da influência de homens como Nietzsche, o Ocidente romantizou como pessoas admiráveis aquelas que rompem com seu próprio contexto.

março de 2014: "Com poucas exceções, os ateus contemporâneos são liberais diligentes militantes. Embaraçosamente, Nietzsche apontava que os valores liberais vinham do monoteísmo judeu e cristão, e por isso mesmo rejeitava esses valores. Não há qualquer base — quer na lógica quer na história — para a noção predominante de que o ateísmo pode combinar com o liberalismo. A ilustrar esse fato, Nietzsche só pode ser um constrangimento para os ateus de hoje. Pior, eles começam a suspeitar de que sejam precisamente a encarnação do tipo de livre-pensador pio que Nietzsche desprezava e de que fazia pouco: altivos em sua reverência insípida pela humanidade, e estridentemente censuradores de qualquer crítica às esperanças liberais". Disponível em: <https://www.newstatesman.com/culture/2014/03/ghost-atheist-feast-was-nietzsche-right-about-religion>. Acesso em 3 de agosto de 2020.

Os santos deixaram de ser os que se convertem a uma verdade superior a eles, e passaram a ser os que se convertem à verdade que eles mesmos criaram. Como o contraste fica mais à vista quando um filho destoa de um pai, o mundo moderno encanta-se com uma adolescência eterna, em que rompemos com os princípios da família que nos educou, com o sexo com que nascemos, com o primeiro professor que nos deu aulas, e assim por diante. A regra é termos de morrer longe do lugar que nos viu nascer — uma espécie de parábola do filho pródigo de pernas para o ar, em que o regresso à casa é proibido.

No livro citado, o próprio Friedrich escreve acerca do "perigoso privilégio de poder viver por experiência e oferecer-se à aventura" e de como "foi bom não ter ficado 'em casa', 'sob seu teto', como um delicado e embotado inútil!". Um "espírito livre" então lhe diz: "Você deve tornar-se senhor de si mesmo, senhor também de suas próprias virtudes. Antes eram elas os senhores; mas não podem ser mais que seus instrumentos, ao lado de outros instrumentos". No evangelho de Nietzsche, o filho louvável é o que sai de casa do pai com estrondo, resoluto de que reconciliações são para os fracos. No cristianismo, o abraço do pai é um imã espiritual; para o filósofo alemão, é preferível o abraço de todo o mundo restante, como prêmio por essa aventura corajosa e destemida.

Com toda a beleza que os arrebatamentos semipoéticos, em que a filosofia de Nietzsche era próspera, pode alcançar aos olhos de alguns, a ironia é que a cultura que mais influenciada por ele foi tornou-se bastante distante da força humana que ele venerava. Os herdeiros de Nietzsche, de tanta tralha transcendente de que se livraram, sendo uma delas a posse da alma, não têm hoje a capacidade sequer de a perder. No Ocidente niilista, demos em fantasmas andantes, vivendo sem a capacidade de poder errar espiritualmente. Também graças a Nietzsche, estamos hoje condenados a estar sempre certos porque, voltando a citá-lo, "tudo veio a ser; não existem fatos eternos: assim como não existem verdades absolutas". Nietzsche, que gostava tanto de heróis, contribuiu para a deseroificação final ao dissolver a possibilidade da perda da alma.

Uma das catástrofes cada vez menos silenciosas é irmos perdendo o sentimento de nos sentirmos perdidos, com a exceção geográfica. Podemos perder-nos exteriormente, mas a perdição interna e espiritual vai sendo interditada. Ao salvarmo-nos do conceito de salvação, encafurnamos a eternidade nesta vida. É um peso tremendo: temos de viver ansiosos por uma beatitude total que sobrecarrega injustamente uma existência que antes se contentava com a ideia de que felicidade total não era uma obrigação. Quando ainda se acreditava no céu, dava para respirar fundo sabendo que não teríamos de viver de arrebatamento em arrebatamento. Agora, parece uma obrigatoriedade.

Até a televisão, quando nos quer vender cervejas, é obrigada a transmitir uma espécie de plenitude emocional que substitua a crença na vida além da morte. Partilhamos fotografias nas redes sociais com filtros retrô para que um ar solene exale dos nossos momentos mais corriqueiros. Odiamos os santos antigos, mas não prescindimos de querer provar um pouco da veneração que eles suscitavam. Andamos aflitos porque, se não podemos ir parar no inferno, tornamos o céu obrigatório em todos os momentos desta vida. É uma verdadeira maldição, essa de termos tornado obsoleta a necessidade de salvar a alma.

Este livro é também uma modestíssima contribuição para a causa aparentemente perdida de restituir às pessoas que mais se emanciparam de Deus um resto da maldição antiga de terem de o procurar. Este é um volume que fala de uma viagem até o Brasil para toscamente simbolizar uma nova consciência de nossa perdição interior. O melhor que, enquanto autor, tenho para vos dar é esta esperança de vos poder ajudar a sentirem-se maus, merecedores do inferno. Só para pessoas assim é que a salvação serve para alguma coisa. Como Jesus dizia com ironia, respondendo às pessoas que estavam certas de não precisarem ser salvas, são os doentes que precisam de médico. O salvador veio para os maus, para os ruins, para os que têm um dom para estragar tudo — eu sou um deles. E parte da minha história fica aqui, para obter de vós, queridos leitores, alguma companhia.

1
A Fortaleza de um Crime

É dia 10 de setembro de 2001 e ainda vivo com os meus pais na cidade de Amadora, na área metropolitana de Lisboa. As minhas irmãs já não. A irmã cinco anos mais velha, a Rute, quando terminou a licenciatura em Línguas e Literaturas Modernas, foi lecionar na região do Porto, em 1996. A irmã quinze minutos mais nova (somos gêmeos!), a Sara, que também se tinha tornado professora, só que de Educação Física, casou há cerca de dois meses e vive com meu cunhado, Nuno, no Alentejo, na cidade de Vendas Novas. Sou o único rapaz que meus pais tiveram e, nesse sentido de independência, talvez o menos masculino de seus filhos. Apesar de estar prestes a terminar os estudos, minha licenciatura em Ciências da Comunicação, ainda não chegou a hora de me lançar à vida, sair da casa onde cresci e arranjar a própria família.

Cresci com demasiada televisão e, agarrado a ela, assisto ao anúncio de um programa especial para o dia seguinte, 11 de setembro. Estou ansioso por vê-lo. É sobre o crime que acabou de deixar Portugal e Brasil em estado de choque, em que um português chamado Luís Miguel Militão Guerreiro atraiu seis compatriotas seus a Fortaleza, capital do estado do Ceará, no nordeste do Brasil, onde morava havia pouco tempo, para roubá-los, atacá-los a golpes de pá e a tiro, e enterrá-los, alguns ainda vivos, num bar da Praia do Futuro. Tentou fugir da polícia, mas foi apanhado. Como a justiça brasileira é mais jovem e solta, na televisão há entrevistas feitas com o próprio assassino, gravadas com ele atrás das grades, coisa impensável em Portugal. Vão surgindo mais pormenores sórdidos, e a ideia de um programa especial, com novas revelações, deixa muita gente mais curiosa ainda. Eu faço parte do grupo.

No dia seguinte, o tal previsto para essa reportagem, dois aviões se chocam contra as Torres Gêmeas em Nova Iorque e o especial sobre o crime de Fortaleza é abandonado na pilha das irrelevâncias jornalísticas. O mundo mudou no dia 11 de setembro também porque qualquer crime, por hediondo que parecesse, agora empalidecia diante daquilo que aconteceu nos atentados terroristas contra os Estados Unidos. Seis meses antes, eu tinha visitado as Torre Gêmeas, na minha primeira viagem a Nova Iorque, junto da minha então namorada, Ana Rute, da minha mãe, Eunice, e do meu primo, Timóteo. Viemos de lá deslumbrados com a cidade, e todos estamos agora chocados e sem saber o que pensar diante de um dia tão inconcebível. Mas a verdade é que, mesmo no meio de tudo isso, eu não esqueci o especial sobre o crime de Fortaleza que tanto queria ver. E não vi.

A necessidade de viajar para encontrar aquilo que dentro de nós nunca viaja: a maldade

É o que me acontece dezesseis anos depois o que justifica a existência deste livro. Curiosamente, entrelaçam-se elementos daquele setembro de 2001. Aqui contarei a história de uma viagem que começou por Nova Iorque e que, seguindo para o Brasil, passa também por Fortaleza. Creio que posso dizer que, não tendo sido esta uma viagem prevista nesse sentido, caminho em direção a duas cidades que me vão ensinar acerca do que o mal pode ser.

Nova Iorque é a cidade moderna por excelência e não há filme-catástrofe que não a arrase, reciclando-a na Nova Babilônia que, nas Escrituras, e no Apocalipse em particular, merece todas as mais justas demolições. Em contrapartida, Fortaleza, ainda que não mereça neste livro o destaque devido, é considerada a segunda cidade mais violenta do Brasil e uma das mais violentas do mundo (a sétima, de acordo com algumas estimativas). Adicionalmente para mim, Fortaleza não conseguirá nunca enxotar a sombra de Luís Miguel Militão Guerreiro, o português que transportou sua crueldade para um paraíso brasileiro, para aí se tornar o criminoso que em Portugal nunca conseguiu ser.

Forçando um pouco a barra do argumento deste livro, algo parecido acontece comigo. Este livro também é a maneira como eu me reconheço em Luís Miguel Militão Guerreiro. Certamente que não passei por Nova Iorque e segui para o Brasil para praticar crimes. Mas é precisamente aqui que se encontra o eixo fundamental da minha tese: não é preciso praticar os homicídios de Militão Guerreiro para, à semelhança dele, viajar para longe a fim de lá reconhecermos o pior que existe em nós. E este livro é fundamentalmente um pretexto para confessar o pior que tenho encontrado em mim.

Não compreendo como é que *Morrer na Praia do Futuro*, o livro escrito por Luís Miguel Militão Guerreiro e publicado em 2010, não é justamente considerado um dos melhores livros de sempre da literatura portuguesa.[1] E não o digo como piada pós-moderna. Para mim, merece estar ao lado dos *Sermões* do Padre Antônio Vieira, só para dar um exemplo português muito do meu coração. Disse que não compreendia, mas até compreendo. É certo que o livro não é uma obra-prima literária. Mas, se o lermos valorizando o gênero hoje tristemente

[1] *Morrer na Praia do Futuro: A verdade de Luiz Miguel Militão sobre o caso de Fortaleza* (Lisboa: Guerra & Paz, 2010).
Minha vontade é, a partir da sinistra história de Luís Miguel Militão Guerreiro, defender a tese de que um português, para ser realmente eficaz, precisa deixar Portugal, até no que ao crime diz respeito. Portugal não tem muitas histórias tão violentas como essa em seu passado recente. Todos os seus contornos funcionam como um pedal de distorção numa guitarra elétrica, em que as figuras se tornam impressionantes quanto mais exageradas estão. E o Brasil funciona como o catalisador dessa mudança — em Portugal Luís é um trabalhador frustrado, no Brasil é um criminoso atrevido; em Portugal tem um casamento tedioso, no Brasil troca de prostituta toda semana; em Portugal não há religião que o valha, no Brasil vê demônios e frequenta igrejas evangélicas. E por aí em diante.

evanescente da confissão, talvez outra chance possa ser oferecida a essa pérola desconhecida.

Abraham Maslow foi um americano, descendente de judeus vindos da Rússia, que, apesar de ter estudado direito para agradar ao pai, descobriu na psicologia o lugar que lhe interessava explorar. Em 1971, publicou um livro chamado *The Farther Reaches of Human Nature*, em que sugeria o conceito de "o complexo de Jonas".[2] Basicamente, o complexo de Jonas é o medo que temos de, à semelhança do profeta do Antigo Testamento, empreendermos uma viagem muito além do lugar onde crescemos e nos sentimos seguros e moralmente confortáveis, para cumprirmos uma missão que vá também muito além dos nossos interesses, e possa servir até a pessoas que temos como não merecedoras do nosso esforço. Maslow dizia que o complexo de Jonas é em grande parte um medo de perdermos o controle da nossa vida, receando que uma vocação séria nos transforme a tal ponto que deixamos de ser quem éramos.

Há pessoas que têm medo da grandeza e que, por isso, ficam sossegadas em seu lugar. Outras há, eventualmente tão seguras de sua grandeza, que viajam para que as pessoas do destino aonde pretendem chegar lhes prestem louvor. Uns não viajam por medo da grandeza, outros

---

[2] *The Farther Reaches of Human Nature* (Nova Iorque: Viking Press, 1971).
Infelizmente, existe em alguns contextos cristãos uma relação complicada com a psicologia, como se, por exemplo, o movimento puritano não fosse o avô da psicologia moderna, com sua obsessão na medicina da alma (Freud só lá chegou depois). Se é certo que muita da psicologia moderna tem medo do cristianismo, isso não significa que o cristianismo precise responder com a mesma moeda e ter medo da psicologia moderna. Não há nada como o exemplo dos bereanos no livro dos Atos dos Apóstolos, de verificar e reter o que é bom.

viajam por medo de não ser grandes. Podemos ser maus fugindo da grandeza, e podemos ser maus encontrando-a. Este livro é a história da minha viagem à procura da grandeza e encontrando, seguramente, a minha maldade. Talvez eu tenha o complexo de Jonas ao contrário.

O que atrapalha mesmo é o amor

Apesar de ter crescido com demasiado televisão, cresci com a Bíblia aberta. Qualquer pessoa que a leia seriamente vai chegar à conclusão de José Saramago, quando a alcunhou de "manual de maus costumes".[3] Cada vez que ouço de mais uma biblioteca, em algum lugar, que resolveu tirar o exemplar das Escrituras de suas prateleiras por recear que seu conteúdo escandalize alguém menos preparado, tenho vontade de propor um brinde — à Palavra de Deus e ao seu dom eterno de nos aterrorizar!

O protagonismo da maldade, presente na revelação

[3] Entrevista ao jornal português *Público*, 18 de outubro de 2009, <https://www.publico.pt/2009/10/18/culturaipsilon/noticia/biblia-e-manual-de-maus-costumes-diz-o-escritor-jose-saramago-1405681>. Acesso em 30 de julho de 2020.
Não é notável que um dos escritores portugueses tido como mais inspiradores se revolte tão frontalmente contra a ideia de a Bíblia ser inspirada? Em Portugal o conceito de inspiração parece ser o que sobra quando Deus se foi embora, e por isso os textos mais confiáveis parecem ser aqueles que confiança nenhuma dão a Deus. Podemos ainda ter muito catolicismo popular, mas um cristianismo desavergonhado dos seus escritos sagrados é um conceito que nos é estranho. E isso comprovou-se quando, mais tarde, num debate que teve com o padre Carreira das Neves, Saramago, em sua revolta contra a Bíblia, tratou-a com mais reverência do que o sacerdote católico, pouco interessado em fundamentar a fé em seu texto sagrado.

escrita de Deus ao mundo, existe para sabotar a paz de nossa vida organizada, demasiado crentes nas boas intenções do sucesso que procuramos. Afinal, Luís Miguel Militão Guerreiro foi para o Brasil em busca de uma vida nova e melhor. Quando viajamos, ainda que em turismo, também buscamos algo que acrescente qualidade ao nosso conhecimento crescente do globo. Até que surja algum elemento perturbador, gostamos de imaginar que somos todos bons sujeitos. O mal, se acontecer, será provavelmente alguma coisa que não previmos. Dificilmente acharemos que o mal é o que já devíamos há muito tempo ter visto dentro de nós próprios. Daí o valor surpreendente e fantástico de viagens que desarrumam os mapas que inconscientemente desenhamos para nossa própria identidade. Ler a Bíblia, assim, é também fazer uma viagem atribulada dessa espécie.

Neste livro, a viagem vem de mãos dadas com o fato de eu ser um cristão evangélico, naturalmente obcecado pela Bíblia. O texto segue igualmente à sombra de São Luís Miguel Militão Guerreiro, santo padroeiro dos criminosos portugueses em terras brasileiras. A história que vos contarei é patética, como geralmente são todas as histórias de pessoas que se descobrem piores do que julgavam. Ainda assim, o maior escândalo neste livro nem será o dessa descoberta, de uma maldade interior superior às expectativas pessoais; o escândalo maior será o da intromissão do amor. Nesta avalanche de confissões imaturas, delitos adolescentes e ressentimentos envelhecidos, o que atrapalha é mesmo o amor.

Nas histórias da Bíblia, a grande intromissão não é a do mal. As coisas correrem pelo pior é um padrão que fica logo estabelecido no terceiro capítulo do primeiro livro das Escrituras, o Gênesis. O elemento desestabilizador é o da intervenção de Deus, ainda mais pelo fato de essa intervenção ter um efeito transformador na rotina dos homens que se relacionam com ele. É a santidade que estraga a previsibilidade de nossa existência. Logo, o bem é que produz o choque.

Além de ser cristão, sou um pastor evangélico. Vivo dentro da Bíblia o ano inteiro. Meus hábitos de leitura mais rudimentares impõem-me um lugar firme no meio da maldade que, estando no texto, está também em mim — como se costuma dizer, é mais a Bíblia que nos lê do que nós que lemos a Bíblia. Quando chegamos ao Novo Testamento e, nos Evangelhos, assistimos à maior intromissão da bondade no universo, pelo fato de a palavra que tudo criou se ter feito pessoa em Jesus Cristo, não fazemos festa nenhuma. Pelo contrário, recuamos desconfiados. Aonde é que essa ousadia divina toda vai chegar? A cada linha que lemos sobre o que Jesus diz e faz, só esperamos o pior. Pior ainda que esperar o pior, planejamos o pior. Não foi por acaso que as pessoas que melhor compreendiam aonde Jesus queria chegar com aquilo que ensinava, os escribas e os fariseus, tenham sido os que rapidamente tramaram sua morte.

Pessoas ruins, como eu, podendo estar nos tempos e nos espaços de Jesus, não só quereriam crucificá-lo como teriam prazer em vê-lo sofrer. É por isso que gente assim não se desenvolve pessoalmente em direção a um reconhecimento da necessidade de Deus. Cristo não chega até nós naturalmente, em convergência com os projetos que construímos com tanta boa vontade a borbulhar em nosso coração. Gente assim precisa de um imprevisto mesmo. E um imprevisto daqueles que, à primeira vista, parece o fim da nossa vida. Um imprevisto que serve realmente para nos matar e, na melhor das hipóteses, para nos dar uma nova vida, completamente diferente da anterior.

É essa a função do amor de Deus. O amor de Deus é, como se diz nos filmes americanos, um *hitman*, um assassino contratado. O amor de Deus, que só pode chegar até nós através de Jesus, vem com nocaute, não com abraço. Logo, as histórias da chegada do amor de Deus contam-se como relatos de improvável sobrevivência, e não como triunfos de vencedores. Deus ama-nos e ama-nos contra nós.

Para que este livro fosse mais convincente, deveria ser escrito por alguém na prisão, tal como *Morrer na Praia do Futuro* de Luís Miguel Militão Guerreiro. O problema é que, sendo eu um pecador tão ridículo, ainda nem ao nível da penitenciária cheguei — tento aqui, pelo menos, algum nível da penitência. Consola-me saber que o inferno tem níveis adequados para todos os graus de nosso pecado. Consola-me ainda mais pensar que, dando-me ao exagero de vos contar a história desta minha viagem, talvez um raio da graça de um Deus que não merecemos possa atingir, tal como atingiu a mim, leitores que sejam tão pateticamente maus como eu sou.

Não merecer viver mais tempo do que gente melhor do que nós

Fiz 39 anos no dia 17 de outubro de 2016. Nunca pensei tanto na morte como a partir desse aniversário. Isso pode ser até um pouco tolo na medida em que, se há uma idade em que um pastor evangélico, como eu, seria mais naturalmente levado a ponderar o assunto da morte, deveria ser quando comemora o seu 33º aniversário. Afinal, foi essa a longevidade humana do nosso Senhor.

Mas devo admitir que, ao chegar aos 39 anos, eu tinha na cabeça a Flannery O'Connor. A Flannery foi uma escritora norte-americana do século passado que morreu com essa idade com a doença de lúpus. Tenho a Flannery como uma das minhas maiores inspirações, e tenho usado nos últimos tempos, como uma espécie de diário para minhas devoções, o livro *The Habit Of Being*, que reúne sua vasta correspondência.[4] É óbvio que é Jesus que trago sempre no coração, mas a verdade também é que raramente a Flannery me sai da cabeça.

Um dos pensamentos mais frequentes durante 2017 foi: por que Deus me dá, ao chegar aos 40 anos, a bênção de uma vida mais longa da que teve a Flannery, que era muito melhor do que eu? Mais ainda: por que recebo o que nem o meu Salvador Jesus teve? Acho que uma das maneiras com que posso resumir minha chegada à chamada meia-idade é falando desse choque diante de bênçãos imerecidas.

Não é incomum ouvirmos falar dessas tais crises de meia-idade desencadeadas por avaliações que a pessoa faz de sua vida e se sente insatisfeita. No meu caso, diria que

---

[4] *The Habit of Being: Letters of Flannery O'Connor*, selecionado e editado por Sally Fitzgerald (Nova Iorque: Farrar, Straus & Giroux, 1978).
   Minha vida divide-se entre o período até ler a Flannery O'Connor e o período seguinte. Depois de minha mulher, minhas filhas, minha mãe e minhas irmãs, acho que a Flannery é a mulher que mais amo na vida.

a crise começou precisamente por sentir que aquilo que, aos 40 anos me foi dado viver, foi muito mais satisfatório do que eu merecia que fosse. É como se a grande satisfação que sentia ao chegar à meia-idade tivesse provocado uma paradoxal angústia, que eu nunca havia experimentado. Alcancei muito mais do que julguei possível, e isso criou um ricochete.

Essa experiência de reavaliação pessoal coincidiu com a maior viagem que já fiz. Como já disse, foi preciso ir para fora para ver melhor cá dentro. Graças a Jesus, sabemos que nosso Deus é de paradoxos assim, de mortes que geram vida, de grandes travessias para irmos mais perto do nosso coração. Neste caso, foram três semanas nos Estados Unidos e no Brasil, as quais conto resumidamente neste livro e que abriram um buraco para minha alma. De outro modo, não sei se assim teria acontecido.

Logo, o projeto destas páginas é o que dá o subtítulo ao livro: o Brasil visto de fora e um pastor visto por dentro. Não sei se acertarei muito nas observações que faço acerca do Brasil (e, mais limitadamente, sobre os Estados Unidos da América), e também não posso assegurar que acertarei em tudo nas que faço sobre mim mesmo. Talvez a única coisa que possa assegurar é que, depois de os 39 se terem tornado 42 (a idade que tenho quando revejo estas linhas), a travessia do Atlântico para as Américas tornou-se minha própria versão da tempestade bíblica que Jesus tem vindo acalmar.

Apesar de esta ser uma história horrível, desejo-vos uma boa leitura. Espero que um dia, quiçá, possam perdoar-me.

Luís Miguel Militão Guerreiro,
Morrer na Praia do Futuro

2

O retrato do autor, enquanto criança, chorando encostado à muralha, junto de seu pai

Quando me tornei pai, não consegui resistir ao exercício de procurar semelhanças em nossos bebês. Começamos a vasculhar os velhos álbuns fotográficos para provar que, bem vistas as coisas, a Maria, nossa primeira filha, era tal e qual o papá (e a Ana Rute fazendo, claro, o contrário). A verdade é que, nos quatro bebês que tivemos, esse exercício funcionava com um grau de eficácia variável. Por exemplo, a Marta, nosso segundo bebê, era a menos parecida comigo — não havia fotografia que sugerisse semelhanças credíveis (tirando as sobrancelhas). Mas ao chegar o terceiro, o Joaquim, e depois o quarto, o Caleb, este papá podia ficar muitíssimo à vontade em reivindicar a ascensão genética sobre aqueles pequenos rapazes.

O ponto alto foi quando encontrei uma fotografia em que eu tinha por volta de dez anos, ao lado de meu pai, o Henrique Cavaco. Recordo que estávamos encostados em uma muralha em Tomar ou Santarém, não tenho certeza (as duas cidades têm muralhas, certo?). O aspecto mais interessante na descoberta dessa fotografia foi uma semelhança impressionante com o meu Joaquim. A partir daí, sempre que a conversa virava para as semelhanças entre meus rapazes e eu, a fotografia entrava em cena e dissipava qualquer dúvida.

Um dos detalhes daquela fotografia é que eu estava, como se diz em português de Portugal, amuado. Não me lembro da razão, mas estava chateado com meu pai. O que não tinha reparado, e para isso foi preciso olhar a fotografia talvez pela milésima vez, é que, com a ajuda da tecnologia digital que hoje permite grandes *zooms*, dava para notar uma lágrima no perfil do meu rosto. Ou seja, o Tiago daquela fotografia dos anos 1980 não só estava amuado, como estava a chorar mesmo. Foram necessários mais de vinte anos para descobrir aquele pranto. E assim se imortalizou o fato de ser, desde criança, uma pessoa que chora. Quem não é, afinal?

Admitindo sem problemas que um homem chorar não deveria ser surpresa para ninguém, devo, ainda assim, reconhecer que nunca imaginei estar a chorar, com 39 anos, numa casa de banho (os brasileiros dizem "banheiro") de um aeroporto. Tinha acabado de me despedir da Ana Rute e das nossas crianças para pegar o primeiro voo de umas longas três semanas fora de casa. Esse voo ia levar-me primeiro aos Estados Unidos, a Nova Iorque, para três dias numa conferência, e depois seguiria para uma excursão brasileira de duas semanas, a pretexto do lançamento de três livros meus. Apesar do entusiasmo com aquele fantástico plano ultramarino, naquela hora a separação da família, por muito provisória que fosse, devolvia-me ao Tiago daquela velha fotografia. Ainda assim, Tomar ou Santarém parecem-me lugares mais dignos para exprimir tristeza. Um homem feito a chorar numa casa de banho de um aeroporto: que desgraçado início de viagem.

Dos 10 aos 39 anos numa linhagem de lágrimas

A primeira vez que viajei de avião foi em 2001, para Nova Iorque, seis meses antes do 11 de setembro. Tinha quase 24 anos, e foi uma grande emoção. Nos dois anos seguintes, voltei a voar para nossa lua de mel nas ilhas dos Açores, e no primeiro aniversário de nosso casamento para a Madeira. Neste último voo já senti alguma emoção extra pela pista ser curta e a aterragem mais agitada (falo acerca deste assunto no primeiro livro que escrevi, *Felizes para sempre e outros equívocos acerca do casamento*[1]). Mas tudo bem, pensei. Voar é tranquilo.

Entre 2004 e 2010 tivemos quatro bebês. Durante esse tempo não houve oportunidade para viagens, e diria mesmo que a primeira década do casamento é ideal para procriação e pouco mais. Gosto de repetir isso na

---

[1] Escrevi este livro em 2013 e esgotou as duas tiragens modestas que fizemos em Portugal pela Cego, Surdo e Mudo Edições. Se Deus permitir, será editado em breve no Brasil.

nossa igreja: não tenham grandes expectativas de felicidade nos primeiros dez anos do casamento e limitem-se a fazer bebês! Às vezes, para tornar tudo mais perigoso, gosto de acrescentar que é fazer bebês mesmo, nem sequer é fazer amor, porque as duas coisas não coincidem necessariamente. Fazer amor é uma coisa que se vai aprendendo, seguramente depois de dez anos de casamento. Divago, porém. O importante neste parágrafo é explicar que foi necessário chegar 2014 para voltar a voar, neste caso para Chicago.

Quando voltei a voar em 2014, dei-me conta de algo: voar custa-me. Fico nervoso, tenho pensamentos negativos, fico ansioso. Não sou daqueles que enlouquece e passa vergonha em público. Conformo-me, aceito meu destino num sofrimento sobretudo silencioso. Por mim, faria tudo de trem, partindo do princípio utópico de que os países do mundo construiriam ferrovias sobre os oceanos. Como não me parece que vá acontecer, apesar de não gostar de voar, voando vou.

A partir de 2014, e com nossos filhos já mais crescidos, começaram a surgir mais oportunidades para viajar. Elas culminaram num 2017 em que voei quase trinta vezes (muito à custa das escalas brasileiras). A novidade é que, nessa viagem aos Estados Unidos e ao Brasil, que serve de contexto para este livro, era a primeira vez que voava sozinho. Até então, nunca assim tinha acontecido. Logo, naquela despedida da minha família, o grau de exigência estava mais alto. Não só me despedia para passar o período mais longo longe deles, desde que casei, como também me despedia para fazer tudo isso sozinho. Eu, que nunca fui uma pessoa conhecida por ser prática ou, em português de Portugal, desenrascado, estava diante da maior aventura da minha vida. Chorava pela saudade da Ana Rute e dos meninos, e chorava pelo medo de não saber se seria capaz de regressar de uma epopeia daquelas. No fundo, era, aos meus 39 anos, o mesmo rapazinho lacrimejante da fotografia.

Em qualquer viagem anterior que fiz de avião, estive sempre com a Ana Rute ou com um grupo de portugueses a caminho de algum evento internacional. Dessa vez foi diferente. Eu, que sou um verdadeiro nabo, incapaz das tarefas logísticas mais rudimentares, tive de atravessar um oceano sozinho para entrar num país complicado a deixar-se entrar para, depois, ir para Vera Cruz para, maioritariamente sozinho, percorrer nossa ex-colônia na condição de palestrante. Só pela graça de Deus consegui.

Como é que fui capaz de topar um desafio desses? Fazendo o que geralmente faço quando preciso topar grandes desafios: não pensando muito. Pensar demais não é pensar melhor, e por isso abstenho-me de grandes pensamentos na hora de tentar fazer coisas que me parecem certas. Foi assim, por exemplo, com nossas crianças. Não pensamos muito e, quando nos demos conta, já tínhamos quatro. É um método mais recomendável do que parece, porque é um método que corresponde ao pessimismo antropológico e epistemológico da fé protestante que tenho. Se somos piores do que julgamos e se pensamos pior do que gostamos de admitir, mais vale não complicar muito as coisas na cabeça.

A verdade é que na hora de me despedir da Ana Rute e das crianças no aeroporto, veio à minha cabeça um único pensamento: o que fui fazer da minha vida? E outro pensamento ainda: estou louco? E ainda mais outro: como é que vou sobreviver a mais de vinte dias em continentes distantes, longe da minha família? O resultado foi regressar àquilo que, apesar de todos estes anos de marido e pai, continuo a ser: uma criança totalmente incapaz quando fica sem aqueles que ama.

New York, New York

Aquele momento tragicómico no aeroporto já era um pênalti que este jogador não tinha força para bater. Minhas reações eram estranhas porque uma estranheza dentro de mim havia chegado, sem que minha consciência se desse conta dela, e que me condicionava, dando-me uma tristeza despropositada, uma espécie de pré-desespero para uma viagem em que a excitação deveria superar qualquer nervosismo.

Quando aterrei em Newark, e atravessei aquela odisseia burocrática e lenta que atravessam todos os estrangeiros que chegam aos Estados Unidos, houve até algum alívio. Era a quarta vez que estava em Nova Iorque, que, excetuando Lisboa, é a minha cidade preferida, e por isso animei um pouco. Pensei: acho que estou pronto para esta aventura.

Nunca tinha ido sozinho de transporte público do aeroporto de Newark para a City, de modo que me atrelei a um casal português. Ironicamente, na hora de apanharmos o *shuttle*, o casal atrasou-se a entrar na carruagem e eu acabei por avançar sozinho em direção à Penn Station. O trajeto faz-se num instante, e em meia hora estava na cidade. Lá chegado, os ânimos subiram mais ainda e logo sentia-me o rei do bloco. Nova Iorque. O saloio português está de volta! Tinha estado aqui a última vez no outubro anterior, em 2016. E aqui já conheço os cantos da casa. Julgava eu.

Como tinha espreitado uns bons mapas, sabia que a casa onde ia ficar encontrava-se em algum lugar na região do Upper West Side, junto ao Central Park: a Hepzibah House, uma casa centenária para hóspedes envolvidos no ministério cristão evangélico. Por isso, ao sair na Penn Station, calculei pelo número das ruas a direção para onde deveria ir. Eis-me convicto a atravessar a Times Square, novamente, com ares de esperto e esgueirando-me dos *rappers* anônimos que nos tentam vender seus CDs quase à força. Até que surge um momento em que, mais à frente, as ruas deixam de corresponder à parte ocidental do Central Park. Pergunto uma indicação e corrijo um pouco a rota. Pergunto uma segunda indicação e concluo que estou mais distante do que julgo. Estava sem internet e sem mapas. Chego à Columbus Circle, apanho um *wifi* e tento orientar-me.

Escrevi um livro chamado *Ter fé na cidade* que exprime nossa convicção de que Deus ama cidades.[2] Eu acho que amo cidades também. Mas naquele momento, em que a orientação era pouca e a cidade imensa, reconheço que me deu uma pontada aguda de saudade de casa que só

---

[2] *Ter fé na cidade: O diálogo entre uma pequena igreja de bairro e a cultura* (São Paulo: Vida Nova, 2017).
 Este livro é também o relato de como a igreja de que faço parte, enquanto pastor, a Igreja da Lapa em Lisboa, dialoga com nossa cultura portuguesa.

não terminou em novo choro porque, caramba, eu estava em Nova Iorque! Uma coisa é chorar encostado a uma muralha em Santarém ou Tomar, outra é chorar em Nova Iorque. Ainda nem 24 horas tinham passado desde minha partida de Lisboa — conseguirei ser um homem além da criancinha da fotografia?

 O certo é que uma cidade grande pode ser um monstro. Sobretudo quando nos sentimos perdidos. Fucei no Google Maps e percebi onde estava. Ainda tinha mais de dez quarteirões para percorrer. Valiam-me as rodinhas da mala que a Hannah e o Mark, um casal americano da minha igreja (o Mark pertence, como eu, à equipe de pastores), me tinham emprestado e o pavimento monótono mas eficaz da cidade. Fiz uma chamada via WhatApp para a Ana Rute e ganhei novas forças. Meti uma pastilha de mentol na boca e avancei.

 Passei pela região onde o John Lennon foi baleado. Passei por uma sinagoga de origem portuguesa. Por que os americanos não numeram as portas de um modo mais visível? Finalmente dei com a Hepzibah House e, ao chegar, apresentei-me: "I'm Tiago, I come from Portugal, my name is in the list and...". Esperavam-me cinco pisos sem elevador. Entre as boas-vindas e algumas informações genéricas, sou avisado de que não posso comer no quarto. Depois de lá chegar com o esforço requerido pelos cinco andares de degraus seculares, o quarto estava demasiado quente. Não tinha alternativa senão regressar, cinco pisos lá embaixo, à recepção para perguntar se dava para desligar o aquecimento. Só na primavera, disse-me a recepcionista. Ainda hoje estou para entender a lógica do conselho que os americanos dão para aliviar a temperatura de um quarto sobreaquecido. Volto a subir os cinco andares. No quarto, sinto fome. Não posso comer lá dentro. Caramba, não ia passar o resto do dia para cima e para baixo naquela escadaria maldita. Comi dentro do quarto, pequei com consciência, juntei todas as migalhas que fiz e despejei-as cuidadosamente no lixo. Processem-me.

Um mundo atraído por um pregador excepcional

O que me levava a Nova Iorque era uma reunião da organização City To City. A City To City é uma rede de relacionamentos entre igrejas evangélicas de todo o mundo, inspirada na Igreja Presbiteriana Redeemer de Manhattan, do pastor Tim Keller (entretanto aposentado). A City To City não é um *franchising* em que se tenta reproduzir no resto do mundo aquilo que deu certo num lugar qualquer dos Estados Unidos. Isso significa que se reúnem nessa rede igrejas evangélicas com características bem diferentes: há de calvinistas (como o modelo original da Redeemer) a pentecostais, passando por anglicanos.

O pastor Tim Keller é provavelmente a figura que hoje mais reúne consenso entre os evangélicos. Não alcançando um *status* como o de Billy Graham, até porque provavelmente nossa época já não tem espaço para um pregador popular a ponto de ser reconhecido até por não crentes, o pastor Tim Keller é uma referência de firmeza teológica e postura dialogante com os mais céticos. Não são características assim tão fáceis de encontrar, por isso a reputação muito positiva que tem é merecida.

Nessa reunião havia gente de todo o mundo. Japão, Rússia, Chile, África do Sul, China, Canadá, entre outros países. Creio que era o único português — uma responsabilidade e tanto. Tentei ser gentil e bem-disposto, não tanto porque os portugueses sejam conhecidos pela gentileza e boa disposição (o que também não quer dizer que sejamos conhecidos pelo seu oposto), mas mais porque, se um português for gentil e bem-disposto, isso poderá ser um serviço razoável prestado à pátria. À falta de características excepcionais, qual é o problema da gentileza e da boa disposição? Foi o que tentei. Ser bem-educado e bem-humorado. A santidade pede mais do que isso, mas pode pedir isso também, parece-me.

Fui a todas as reuniões marcadas na conferência, até aquelas que os presbiterianos furaram para ir fumar charutos, e aquelas que os latinos furaram para ir ver um jogo do Barcelona. Um critério em causa para que não faltasse a nenhuma reunião era também o econômico. Como sou pobre, fui a essa reunião pago pelos países ricos. Logo, parecia-me de uma ingratidão palerma ausentar-me de atividades marcadas. Não me parece mal que, enquanto português, assumisse o papel do aluno aplicado se o aluno em questão teve os estudos pagos pelos outros. Se os outros pagam, tu te acalmas e não te ausentas.

Latinos desgovernados em Nova Iorque

Por falar em países ricos, numa dessas reuniões, das quais não me ausentei, tratou-se o assunto de *"Governance"*. Falava-se, portanto, de experiências de governo de igrejas jovens. Não tenho aqui como contextualizar o muito diverso quadro de referências sobre como os protestantes se governam, mas posso dizer-vos que nos vamos governando. E sem papa, cada um para seu lado. Ora, quando ouvia meus irmãos dos países onde as coisas funcionam a falar sobre os problemas que têm no governo da igreja, achei tudo muito engraçado. Isso porque os problemas que têm são bastante abstratos para pessoas como eu, de países onde geralmente as coisas não funcionam assim tanto. Senti-me na presença de vida extraterrestre. Porque as pessoas de países onde as coisas funcionam lidam com problemas de um modo alienígena para nós, pessoas de países onde as coisas não funcionam.

Para as pessoas de países onde as coisas funcionam, os problemas são pretextos para eles, uma vez mais!, mostrarem mais trabalho. Para nós, pessoas de países onde as coisas não funcionam, os problemas servem precisamente para desistirmos de trabalhar. Quando há problemas, nossa linguagem não é a da luta, mas a do lamento. Imaginem-me, portanto, no meio daquela gente. E eles diziam assim: "Tive este problema e fiz aquilo e não deu mau resultado!". E eu só pensava: "Os problemas que tenho são o que me levam a não conseguir fazer precisamente nada...". Por isso, estive calado o tempo todo. Não se ouviu nada do português naquele colóquio. Eu não sei falar a língua do problema resolvido. Como português, sei falar bem a língua do problema por resolver, mas mais do que isso é metafísica germânica. É certo que sou protestante, mas sou português. Meu protestantismo é ainda demasiado católico-mediterrânico.

Claro que nós, mediterrânicos, gostamos de falar de problemas (o que seria de nós se não falássemos dos nossos problemas?), mas os problemas são um dos nossos assuntos preferidos porque raramente algum de nós se destaca a resolvê-los. Não resolvermos problemas é uma das igualdades mais estáveis entre portugueses. Quando aparece um português muito experiente nos problemas que resolveu, é sinal de que traiu a pátria e se convenceu das soluções que só dão resultados nos países onde as coisas funcionam. A questão é que para nós, portugueses, as coisas funcionarem é apenas sinal de que o verdadeiro problema, aquele que arruinará todas as soluções que até agora estiveram a funcionar, ainda não foi descoberto. Tentei ser gentil e bem-disposto com meus irmãos dos países onde as coisas funcionam, mas, como é óbvio, só voltam a contar comigo para uma conversa sobre desgoverno e não sobre "*Governance*".

Havia uma pessoa, no entanto, que destoava no quadro daquela conversa. Era um chileno. E eu pensei: "Como é que este sacana do chileno tem o descaramento de estar aqui com ares de competente e arruinar a credibilidade latina em esperar por problemas que ainda não chegaram e que vão arrasar com as soluções da funcionalidade não latina?". No final fui ter com ele e, com gentileza e boa-disposição, perguntei-lhe: "O que é que se passa contigo que, sendo tu um latino-americano, estás aqui com jeito de campeão da competência?". Imaginem: ele respondeu-me dizendo que uma boa parte da vida tinha vivido na Austrália e, claro está!, veio de lá estragado a ponto de ter aprendido a resolver problemas. Tudo explicado.

A reunião acabou e eu consegui correr para a segunda parte do jogo do Barcelona. O Xavi é um pastor de uma igreja de Barcelona, que eu já conhecia havia um par de anos. O Xavi é de origem guineense (a outra Guiné que não a portuguesa) e é um pastor de primeira. A igreja que abriu é nova e, sendo ibérica, estávamos como família. Eu, português, passava muito tempo com meu irmão catalão Xavi. Acabávamos por atrair outros latinos, geralmente brasileiros que representavam países que não o Brasil. Um deles foi o Rodrigo Dinsmore, que, sendo brasileiro, trabalha nos Estados Unidos (com o sucesso que se calcula).

O Xavi e o Rodrigo quiseram ir assistir ao jogo do Barcelona contra o Paris Saint-Germain. A eles juntou-se o Oscar, que nasceu em El Salvador mas é pastor em Chicago. Ainda fui a tempo de pegar o melhor do jogo no café onde eles estavam. Caramba, que jogo! O PSG na primeira partida tinha ganhado de quatro a zero, o que tornava muito improvável que o Barcelona virasse o placar. E imaginem o que aconteceu? Seis a um para o Barcelona numa partida louca. Se o futebol fosse sempre assim, eu veria muito mais futebol.

Imaginem ver aquele jogo ao lado de um homem de Barcelona. O Xavi sofreu a ponto de preferir ir para a casa de banho nos minutos finais. Já não me lembro bem do gol que perdeu, mas o coração dele não lhe deu a paz de espírito suficiente para aguentar aquela reviravolta. Uma das coisas excepcionais de se assistir a um jogo de futebol nos Estados Unidos é que, quando a ação acontece como naquele jogo, tu levantas a voz no café e dizes de pulmões cheios: "*Un-be-liev-a-ble!*". Foi um encontro perfeito entre um resultado europeu e uma expressão americana.

No final, agradeci a Deus por ter ido assistir à reunião, como estudante aplicado português que tentei ser; por ter assistido à melhor parte do jogo; e por ter assistido à melhor parte do jogo ao lado dos meus irmãos Xavi, Rodrigo e Oscar — abraços, gritos, saltos. Latinos felizes no meio de Nova Iorque. Provavelmente, demasiado espalhafatosos. Mas também absolutamente satisfeitos por podermos dar asas à nossa alegria a partir do jogo que é realmente jogado com os pés dos jogadores. Aprendam, *yankees*. É assim que se faz.

Um desporto para um débil desportista

Minha história com o futebol é a história normal de um rapazinho português, pelo menos até ali os nove, dez anos. Até os nove, dez anos eu jogaria tanto futebol como a maior parte dos rapazes de Portugal, o que na nossa época significava muito. O que mudou foi que, aos oito anos, nossa família mudou de igreja para uma outra, em Queluz, que tinha um grande grupo de crianças e jovens, e crianças e jovens esses que estavam firmes numa cultura futebolística bem mais profunda do que a minha. Os pais dos meus novos amigos da minha nova igreja eram mais clubistas do que o meu pai, e os meus novos amigos, sendo igualmente mais clubistas do que eu, eram também jogadores bem mais habilidosos do que eu era.

Isso não me demoveu de continuar a jogar bola com eles. É certo que cedo entendi que, por comparação, eu era um jogador medíocre, mas a minha mediocridade sempre tendeu a ser mais fraca do que o meu sentido de valor pessoal. Se quando jogava com eles sabia que era fraco, na imaginação, o terreno fértil da minha ambição, eu ainda tinha muito campeonato para ganhar. Por isso o que aconteceu, na minha relação com o futebol, foi uma deslocação do campo real para o recompensador campo imaginário. Não deixei de jogar bola, mas a bola que comecei a jogar começou a ser jogada mais no conforto privado da minha cabeça.

Volta e meia os pais da Igreja Baptista de Queluz levavam os filhos para, num campo de uma base militar na região do Lumiar, em Lisboa, fazerem umas partidas de futebol nuns campos jeitosos. Eu também ia, claro. Mas o que acontecia era que meus amigos estavam desejosos de jogar com os adultos, coisa que tentei uma vez ou outra e não correu bem. Quando nos concentramos num futebol mais imaginário, dentro da nossa cabeça, a presença de chutes de adultos tende a abalar a capacidade de abstração. Recordo uma bolada que tomei na cara que me fez entender que, por muito forte que possa ser o engenho da fantasia, a dor física acaba com ele. Talvez tenha sido nesse dia que percebi precocemente que o relativismo é uma fraude.

Qual foi a solução que tomei? Enquanto meus amigos jogavam com os adultos, num precioso ritual de iniciação, eu ficava num campo menor a jogar sozinho, a esquematizar em meus neurônios novos campeonatos em que ganhava sempre. Nesse sentido, infantilizava-me com toda a felicidade. Noutro, ganhava em meus insucessos razões para procurar alternativas à minha inabilidade desportiva, agora mais vincada. Se o futebol não me quer, eu arranjo maneira de o transformar para que me queira. Se minha transformação do desporto futebol me deixar acriançado e isso começar a mexer em minha autoestima, então talvez valha a pena descobrir se há outro desporto onde eu me saia melhor.

Foi o que aconteceu uns anos mais tarde com o basquetebol. Eu era alto, magro, desengonçado e, no meio do crescimento meio inarticulado da adolescência, era também bamboleante daquela maneira que às vezes permite gingas que caem bem no basquete. Como o basquete é um desporto que dá para realmente treinar sozinho, nem que seja em termos de lançamentos, consegui do meu pai um cesto que foi parar providencialmente no quintal de casa. Passava horas a encestar, e consegui até desenvolver um gancho apreciável.

É óbvio que meus relativos sucessos no basquetebol não deram para fazer de mim um atleta a sério. Para todos os efeitos, até no basquete tem de existir aquela medida de esforço individual a favor do coletivo que envolve mais do que a minha sempre pronta imaginação individualista. Por isso o basquete foi uma espécie de pequena compensação pelo futebol, mas nunca a resolução de minhas assumidas limitações desportivas. E é aqui que entra o *skate*.

Por volta dos onze, doze anos, no final dos anos 1980, chegou à rua onde vivia, na Amadora, ao lado de Queluz, a mania do *skate*. Todos os garotos tinham um *skate*, e eu não quis ser exceção. Apesar de toda essa meninada continuar a jogar futebol, o *skate* veio agitar seriamente nossas coordenadas físicas. O *skate* não era um desporto. O *skate* era a motocicleta que ainda não podíamos conduzir. Do mesmo modo que um membro dos Hell's Angels não conduz sua Harley para mostrar espírito desportivo, um *skater* despreza a ideia de poder ser considerado um atleta.

Andar de *skate* é deixar de se preocupar com o desporto. Aliás, iria mais longe e diria que *skater* que merece a designação de *skater* ganha até desprezo pelo desporto. O *skate* era uma vingança dos rapazes desajeitados, geralmente colocados de lado pelos mais atléticos, para ganharem uma cultura que, também sendo física, não precisava da habilidade do jogo coletivo. O *skate* era a casa perfeita para rapazes que, podendo até ter gostado de jogar bola e outros desportos, podem agora dar asas a exercícios que lhes abrem caminho para continuarem a ser individualistas. Toda a cultura do *skate* tornou-se uma casa para mim.

Ainda hoje, trinta anos depois, sinto-me um *skater*, mesmo tendo em conta que quando foi preciso investir em melhores tábuas, rodas e *trucks*, entre os quinze e vinte anos, abandonei o hábito rolante. Sou um *skater* que já nem um *ollie* decente consegue sacar; sou um *skater* que odeia *skateparks* que funcionam como gaiolas para *hamsters*; sou um *skater* que praticamente já só se limita a circular em cima da tábua; mas sou um *skater*. Continuo a amar a ideia de surfar o asfalto, de pichar as paredes, de aumentar o volume do *punk rock* e, no geral, de desprezar o que a maioria pensa. Isso é em grande parte o que me atraiu ao *skate* e que para mim o *skate* continua a representar. Não é desporto e é muito mais do que desporto — é uma coisa mais próxima da religião mesmo.

As vitórias da equipe de Viena

Em 1902, um grupo de médicos judeus juntava-se semanalmente à volta de um que se sobressaía. Estavam em Viena, e o homem que era o centro da atenção chamava-se Sigmund Freud. Com tanto que se tem escrito sobre a importância de Freud para a maneira como hoje olhamos para o mundo, convém lembrar que, sem o contexto da Bíblia hebraica, a história teria sido diferente. Para todos os efeitos, aqueles eram homens que, apesar de não procurarem na fé de seus antepassados as respostas para as perguntas que tinham, tinham-nas no ambiente do judaísmo.

Freud não conseguia crer que as respostas mais consistentes pudessem vir de fora para dentro, de Deus para os homens. À falta de acreditar em Deus, acreditava, ainda assim, que o homem não ficava livre da tarefa de as procurar em outro lugar. Logo, se Deus tinha abandonado a casa mental de Sigmund, a verdade é que alguma da mobília dele tinha ficado. Quem lê o Antigo Testamento reconhece com facilidade que os sonhos eram uma espécie de pré-Bíblia dentro da Bíblia: antes de a mensagem divina ser fixada em escrito, Deus falava e fazia muito com os homens por meio do que lhes acontecia enquanto dormiam.

Há quem considere que o fato de Deus usar sonhos para falar com as pessoas apenas confirma que as pessoas precisam não atrapalhar muito com sua consciência na hora de entenderem realmente alguma coisa. Por isso, Deus espera que elas adormeçam para que possam ter um contato com o mais importante acerca delas. Dormir é o tipo de anestesia necessária para que Deus possa operar à vontade. Para que Deus aja na vida das pessoas é preciso elas estarem num estado em que não interfiram muito, sobretudo com seus melhores raciocínios.

E não é isso, em grande parte, o que Freud defendeu? A diferença substancial é que, em vez de recordar que o objetivo de convivermos com nossos sonhos era uma vontade de ouvirmos a Deus, agora só fazia sentido conviver com nossos sonhos para ouvirmos a nós próprios. Foi nisso que investiu sua vida, com um sucesso assinalável. Depois da dedicação de Sigmund ao sótão humano, que é o que inconscientemente acontece em nós quando sonhamos, passamos a ser aliciados por uma maneira diferente de viver e de olhar para tudo à nossa volta: as coordenadas mais seguras para nos orientarem na vida são as que estão tapadas debaixo de muito raciocínio que benevolentemente acrescentamos ao longo do anos, mas que, bem vistas as coisas, obscurece o que de mais básico devemos reconhecer em nós. É preciso regressar ao início e regressar, não pelas estradas largas do racional, mas pelos atalhos imprevistos do inconsciente. É aí que teremos o mapa mais rigoroso de nossa identidade, dizia o médico de Viena.

Freud tinha naquele grupo um colega que tendia a reagir aos excessos das teses do inconsciente, sobretudo a partir do momento em que elas começaram a ficar acorrentadas a sentimentos sexuais reprimidos. Alfred Adler preferia concentrar-se em como as pessoas se constroem principalmente a partir das relações que estabelecem com os outros. Se Freud queria ir cada vez mais para dentro, Adler queria abrir uma janela e, quem sabe, dar um passeio pela rua.

Em 1927, Adler escreve um livro chamado *Understanding Human Nature*,[3] e nele concordava com Freud numa

[3] *A ciência da natureza humana* (São Paulo: Companhia Editora Nacional, 1967).
Apesar de muitas das conclusões destes pais da psicologia se afastarem do entendimento cristão acerca da natureza humana, convém dizer que eles, ao menos, ainda tinham alguma convicção de que a natureza humana não era uma invenção humana.

matéria: o fundamental de nossa mente é formado durante a infância. Só que o mais relevante na formação do caráter da pessoa não estava tanto no desenvolvimento de sua sexualidade, mas sim no modo como ela testa usar seu próprio poder no mundo à sua volta. Além de explorar assuntos como a ordem em que uma criança nasce em relação aos outros irmãos, e como isso pode influenciá-la, Adler defendia que mil talentos e capacidades nascem de nossos sentimentos de inadequação. O reconhecimento é aquilo que procuramos assim que experimentamos, por alguma razão, um sentimento de inferioridade — a hoje banal expressão "complexo de inferioridade" foi inventada por Adler.

Alfred Adler sugeria que o caráter da pessoa se constrói em algum ponto no equilíbrio instável entre a necessidade de poder e a necessidade genuína de nos ligarmos aos outros. Qualquer um desses polos, se desequilibrado em relação ao outro, podia produzir resultados catastróficos: ou pessoas basicamente insensíveis, que existem para se afirmar acima dos outros e usando-os apenas como meios para um fim, ou pessoas subservientes, que serão incapazes de desafiar qualquer consenso social com medo de perderem os frágeis laços que estabeleceram. Nessa equação, entravam valores como a vaidade e o altruísmo para complicar o resultado. Incontornável era, no entanto, a importância da inadequação que servia de gatilho existencial. Esperando que o amadurecimento pessoal acontecesse durante a valorização de si mesmo, sem que isso represente uma desvalorização dos outros, era fundamental lidar com os sentimentos negativos que cada pessoa tem acerca de si mesma. Um bom caráter nunca nasceria sem o reconhecimento e a luta com o pior que existe em nós. Nesse sentido, as únicas pessoas boas serão aquelas que sabem que são más. Os primeiros psicólogos tentavam livrar-se da religião, mas as Escrituras deixam marcas mesmo naqueles que julgam que as abandonaram. Essa digressão pelo grupo de médicos judeus do centro da Europa do início do século passado serve para me devolver à pobre criança chorosa da fotografia. Enquanto cristão, tomo alguns dos cantos da casa da psicologia como familiares: não vieram de Viena, vieram da Bíblia mesmo. E, nessa ordem de ideias, diria que Alfred Adler viu mais longe do que Sigmund Freud. Olhar para o passado é útil, mas qualquer ser humano é inevitavelmente teleológico, procura um caminho à frente. O melhor das lágrimas antigas talvez esteja na possibilidade de elas abrirem uma via em que as inadequações do passado não servem de freio, mas de amortecedor. Terei mais para dizer à frente sobre os anseios da minha infância. Mas digo-os na medida em que reconhecê-los me dá oportunidade para ir além deles. Crianças fotografadas chorando, encostadas aos seus pais em muralhas, são ótimos pretextos para adultos que optem por deixar de habitar em ruínas. Freud terá alguns bons pontos a seu favor. Mas o futuro permanece, diante de nós e por amansar, à espera de algo mais do que apenas o nosso mergulho nos velhos álbuns fotográficos.

Apanhamos uma topique (uma espécie de transporte alternativo, tipo van, que leva entre dez a quinze pessoas) e lá fomos a um bairro chamado Serviluz. Entramos por ruas estreitas, com esgotos a céu aberto. Era uma favela muito perigosa, mas eu não sabia. Andamos por becos e mais becos até chegarmos à casa dela. Na primeira divisão da pequena barraca estava uma mulher gorda, que se balançava numa rede. Tivemos de passar por baixo da gorda para conseguirmos chegar ao quarto minúsculo dela. A desarrumação era inacreditável. Nunca tinha visto nada assim.

Luís Miguel Militão Guerreiro,
Morrer na Praia do Futuro

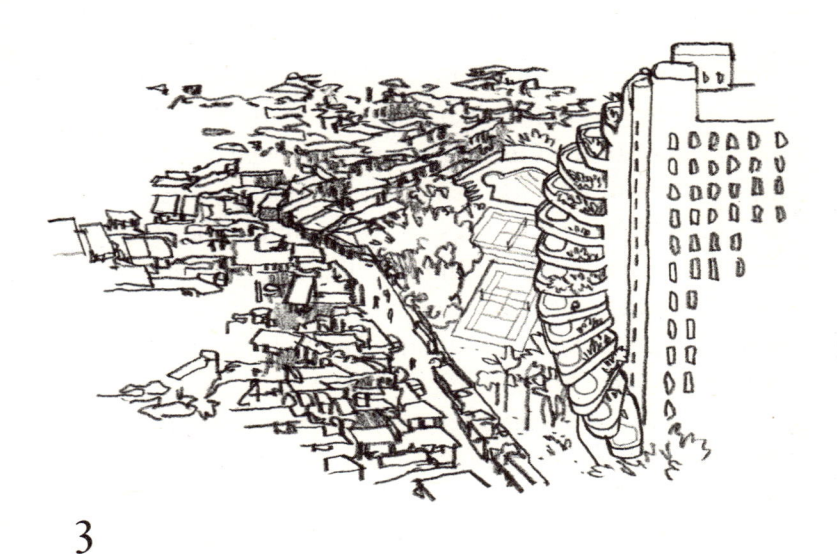

3
Ver São Paulo pela primeira vez

Gosto muito de sair sozinho nas manhãs de Nova Iorque. Era antes das oito e já estava na rua naquele fim de inverno da cidade — uma terça-feira, 7 de março de 2017. Vaguei pela zona ocidental do Central Park, que tinha material de sobra para um peregrino desorganizado como eu. Encontrei no cruzamento da Broadway com a Avenida 79 a First Baptist Church, com suas pedagógicas duas torres: a mais alta representando Cristo, a mais baixa, inacabada, representando a Igreja, demonstrando como a boa arquitetura deve esclarecer teologicamente a convicção protestante de que Jesus e a Igreja não são assim tanto a mesma coisa, como no catolicismo tendem a parecer (falarei mais acerca deste assunto no último capítulo). Depois, entrei numa igreja católica próxima e fiquei lá uma meia hora em silêncio, ao som do ronco de um sem-teto, que fazia parte de um grupo muito maior lá fora que era servido pela assistência social da paróquia. Após esse momento de maior contemplação, voltei à rua e deparei com uma Barnes & Noble ainda por abrir (só às 9h). Pensei que era ótimo aquele triângulo geográfico batista-romano-literário e segui para a reunião da City To City nas instalações sofisticadas da Igreja Redeemer no Upper West Side.

Não tive muito mais tempo para passear pela cidade. Na quinta-feira, que foi o último dia, já não consegui juntar-me ao jantar dos meus amigos Felipe Assis e Jesse porque o meu apetite já estava a entrar em modo voo, pensando no trajeto Newark-São Paulo. Fui um péssimo companheiro para o Felipe e para o Jesse, mas ainda deu para conversarmos no restaurante (eu assistindo à refeição que eles tomavam) e ir ao aeroporto com eles.

O aeroporto estava meio confuso. Muitos voos atrasados na ameaça de uma tempestade de neve. Perdi-me dos meus companheiros, mas o mais complicado já estava feito com a ajuda deles — o *check-in* e a mala entregue (mais tarde, no Brasil, vim a dar-me mal nesta parte do processo, como contarei). Achei o portão de embarque e, não sem algum sofrimento, fui ouvindo a chamada para um voo para Lisboa numa porta ao lado. Mas a minha cidade-natal não era o lugar que me aguardava. Tinha de disciplinar as emoções. Em algum lugar muito ao sul no mundo, esperava-me São Paulo. São Paulo, gigantesca, impiedosamente quente, desconhecida, ameaçadora em sua descarada exuberância da diferença entre os muito ricos e os muito pobres. O que é que uma pessoa faz com São Paulo? Não sei bem. Mas ir lá já não é coisa pouca.

A neurose de uma surpresa

São Paulo é a maior cidade que já vi, e eu não vinha de um vilarejo qualquer, mas de Nova Iorque. Quando aterrei em Guarulhos aquela Babel ficou-nos do lado direito, interminável no modo como se estende. Vi cidade, mais cidade, mais cidade. Quando é que acaba São Paulo? Quero ser cuidadoso no modo como vou fazer o próximo comentário, mas não tenho como fugir ao choque provavelmente demasiado europeu (e aqui lembro-me sempre da canção "Safe European Home" dos Clash[1]) de entender que também é a grande quantidade de pobreza que dá a São Paulo o tamanho. Ainda do avião dá para entender que os bairros de casas pobres são infinitos (e São Paulo nem sequer é das cidades brasileiras mais pobres). Nunca tinha visto nada assim.

Nasci em 1977 e cresci num Portugal que ainda tinha barracas. As barracas portuguesas eram casas miseráveis, feitas de madeira ruim, cartão, papelão, contraplacado, chapas de metal, fosse o que fosse. A Amadora, o subúrbio de Lisboa onde cresci, tinha uns quantos bairros de barracas. Eram o mais próximo que Portugal tinha das favelas brasileiras. Mas, aplicando a mesma lógica de proporcionalidade que faz do Brasil um continente e de Portugal

---

[1] Canção de abertura do álbum *Give'Em Enough Rope* (1978).
Só mesmo a graça divina pode absolver-nos da tragédia eventual de vivermos no início do século 21 sem amarmos profundamente os Clash. Estou cheio de pecados, mas esse não é um que pratique.

uma migalha, os nossos bairros de barracas eram mínimos comparados com as favelas brasileiras. E eram, porque deixaram de existir. É certo que em Portugal ainda dá para descobrir uns bairros de barracas, umas heranças de construção clandestina, ou simplesmente urbanização horrorosa. Tudo isso existe aqui. Mas não existe nada comparável com a pobreza que há no Brasil.

Sem querer aumentar uma vista apressada e superficial do Brasil, não tenho como fugir do choque diante da pobreza. A pobreza, sobretudo a expressa na paisagem urbana, é avassaladora. Não me entendam mal. Há pior pobreza no mundo do que aquela que encontrei no Brasil. Eu é que sou inexperiente a presenciá-la e, por outro lado, não a esperava tão naturalmente coexistente com a realidade urbana. Talvez o que me tenha chocado não tenha sido a pobreza em si, mas o modo como a pobreza é tão naturalmente constituinte da experiência brasileira de viver na cidade.

Nas outras cidades estrangeiras onde estive, para encontrar pobreza séria a pessoa tem geralmente de se afastar um pouco do centro para os bairros mais periféricos. No Brasil também se nota isso (os centros tendem a ser mais poupados), mas a distância que se precisa percorrer para encontrar pobreza é, em comparação, mínima. Mais ainda. É absolutamente normal um prédio de luxo estar lado a lado de uma favela. Tanto a pessoa no luxo quanto a pessoa na favela assumem a proximidade com naturalidade.

Talvez no meio do meu choque me falte reconhecer que a naturalidade com que se assume riqueza e pobreza lado a lado seja uma característica mais madura. Será que os países mais ricos não são mais artificiais em sua incapacidade de conviver com disparidades tão assinaláveis entre ricos e pobres? Será a procura de homogeneidade social na Europa uma maneira infantil de não querermos lidar com a realidade? É que, em termos práticos, o choque invade mais aquele que está habituado a ver tudo mais igual, e não aquele que está habituado a ver tudo mais diferente.

Não quero dizer que a solução passa por assumir com naturalidade a diferença entre ricos e pobres. Para todos os efeitos, essa diferença escandalizou-me e não me parece mal que me escandalize. Quero chegar a outro lugar com estas palavras. O que quero dizer é que desconfio da minha incapacidade de lidar com essa diferença entre riqueza e pobreza. Acho que parte do meu choque com a realidade social desequilibrada brasileira falou mais da minha pobreza pessoal do que necessariamente da pobreza do Brasil. Isso porque o desequilíbrio social brasileiro me meteu um medo que sugere que eu não seria capaz de lidar com ele, por exemplo, vivendo num lugar assim. O brasileiro, por injustamente pobre que possa ser, está mais livre para viver nessa pobreza ou noutra maior riqueza estrangeira. Talvez precise chegar ao ponto de perguntar isto: quem é mais livre, afinal, o europeu que não sabe lidar com a diferença entre riqueza e pobreza, ou o pobre que vive naturalmente a pobreza que tem?

Quero ser cuidadoso na comparação que vou fazer, até porque vim mais convicto de que a pobreza material deve ser combatida, como consequência natural de sermos sensíveis ao sofrimento dos que nos cercam. Mas a comparação que quero sugerir é esta: Jesus elogia a pobreza de espírito no Sermão do Monte porque a pobreza, quando assumida, liberta — seja essa pobreza assumida material ou espiritual. Meu choque com a pobreza brasileira diz mais do medo que tenho de me ver naquela circunstância do que da liberdade que senti para me envolver com ela. Se quem se alimenta mais do prato que o medo pode ser é o privilegiado, talvez a pior fome de todas seja contar com a fartura.

Em 1945, Karen Horney, filha de um pastor luterano, uma alemã que desenvolveu sua carreira nos Estados Unidos, escreveu um livro chamado *Our Inner Conflicts*.[2] No campo da psicanálise, Horney desejava respeitar a força que o inconsciente tem em nós sem se abandonar ao fatalismo mais freudiano, pouco dado a responsabilizar-nos diante do material psicológico que, sem propriamente escolhermos, vamos acumulando. O livro que escreveu tinha um subtítulo: *A Constructive Theory of Neurosis*, e sugeria que, ainda que as pessoas vivam sintomas de problemas internos que não conseguirão sequer compreender amplamente, há uma responsabilidade de os enfrentarmos, a favor de nós

---

[2] *Nossos conflitos interiores: Uma teoria construtiva das neuroses* (Rio de Janeiro: Civilização Brasileira, 1969).
Quando leio alguns dos escritores cristãos que mais admiro, penso que boa parte deles seria hoje reduzida a neuróticos. Por um lado, a neurose pode ser uma palavra usada para apequenar e fugir daquilo que antes era visto como questões da alma. Por outro, ser considerado neurótico pode ser o melhor elogio que recebemos e conceder-nos a liberdade de não termos de viver obcecados pela saúde. Afinal, cura também é o que acontece quando algumas disposições deixam de estar sob o monopólio da doença.

próprios e dos outros à nossa volta. A ideia era: sermos responsáveis com nós mesmos passa necessariamente por valorizarmos o modo como nos relacionamos com os outros. Seremos menos neuróticos se reconhecermos os erros de nossos relacionamentos, venham eles mais ou menos justificados pelo nosso passado.

Karen Horney identificava três tendências neuróticas básicas: movermo-nos em direção às pessoas; movermo-nos contra as pessoas; e movermo-nos para longe das pessoas. O último tipo, as pessoas que se movem para longe das outras, gosta de se sentir amado, como qualquer ser humano. Mas a balança desequilibra-se nas responsabilidades que o amado deve demonstrar para quem o ama. Ou seja, é possível vivermos normalmente, em termos de apreciarmos que as pessoas nos apreciem, sem que isso represente um envolvimento com o mundo como ele realmente é. Pode acontecer até algo pior: nossa visão da realidade faz-se de acordo com esse desequilíbrio, de termos uma expectativa de que a existência nos trate bem desde que nos mantenhamos longe das existências que nos parecem más. Nosso medo contemporâneo da pobreza não anda, no fundo, realmente próximo disso?

Horney apontava o dedo à nossa cultura encantada pelo sucesso material, responsável por neuroses diversas, em que vivemos ansiosos por conquistas que, na prática, são uma rejeição do mundo como ele realmente é, em sua descarada manifestação de alguma riqueza e de muita pobreza. Se o propósito não era político, ao ser psicológico era também uma espécie de responsabilização espiritual: assumir o medo do fracasso, neste exemplo demonstrado na pobreza à qual não estou habituado, é um compromisso em estar mais no mundo real, e não menos. A pobreza de São Paulo, vista dos céus, por muito do outro mundo que me parecesse, fez-me entender que não conhecia o meu assim tão bem.

Como uma pequena oração derruba um grande medo

Alguém que conta com a fartura, e mesmo que seja apenas uma pequena fartura, desconhece o poder do contentamento. Por isso mesmo, reage com tão enorme choque à possibilidade de haver satisfação no pouco. No entanto, é também esta a lição da oração do Pai Nosso, quando aplica a ideia de recebermos de Deus uma dose de pão que sirva apenas para o próprio dia. Há uns anos estudamos na Igreja da Lapa, aquela de que faço parte e sirvo enquanto pastor, o pequeno livro que Martinho Lutero escreveu sobre o Pai Nosso, a oração que Jesus ensinou aos seus discípulos.[3] Apesar de o ter escrito numa época precoce, em 1519, antes ainda da ruptura com a Igreja Católica Romana, Lutero sabia que o caminho para uma comunhão séria com Deus, na oração, era poucas palavras e pensamento profundo. Nesse processo, estava em causa não tanto aquilo que, em nossa religiosidade, projetamos para fora, mas o que realmente mora dentro do nosso coração, o lar de todos os contentamentos e, por outro lado, dos medos também.

[3] Ver Lutero, *Obras Selecionadas*, v. 5 (São Leopoldo/Porto Alegre, 1994), p. 116s.
Meu amor por Lutero é tal que lhe dediquei um livro inteiro. Chama-se *Cuidado com o Alemão: Três dentadas que Martinho Lutero dá à nossa época* (São Paulo: Vida Nova, 2017).

Até o gesto de pedir pão deve ser feito não atribuindo ao medo o protagonismo. O cristão, que pede a Deus pão para cada dia, não o deve fazer fundamentalmente a partir do receio que tem de passar fome. A primeira palavra desta oração é em português "Pai" (ou, dependendo do idioma, "Nosso"), e é a partir deste "Pai" que tudo o que nesta oração cabe deve ser entendido. Se eu peço pão ao meu pai, é adequado que o pedido venha mais da confiança que nele tenho do que do medo que ele possa não corresponder. Também é por isso que, ao longo do Sermão do Monte, a figura paternal de Deus é invocada para serenar as preocupações dos discípulos. Logo, o maior problema de um cristão assustado com a pobreza, como São Paulo revelou que eu era, é que esse cristão desvaloriza, ainda que inconscientemente, que Deus é nosso Pai. Nós não pedimos pão a Deus na oração a partir de uma base financeira, mas a partir de uma base familiar.

Esse tem sido um caminho lento para mim, o da oração feita a partir do pressuposto correto, quer estejamos a falar sobre os recursos físicos de que necessitamos, como o alimento e a roupa para vestir, quer estejamos a falar mesmo sobre o que oramos acerca dos outros, oferecendo-lhes a possibilidade de eles serem importantes para nós a ponto de entrarem nas nossas orações.

Pessoa de fraca oração que sou, nos últimos anos ela tem-se especializado no exercício rudimentar de martelar para dentro do meu coração pessoas que facilmente vivem fora dele. Isso porque, para um narcisista como eu, não é difícil ocupar todo o espaço do meu coração comigo mesmo e, consequentemente, só saber orar por mim. Por causa disso, oro de segunda a sexta-feira basicamente a mesma oração, com um ou outro detalhe diferente. Tenho uma grande lista de pessoas, que começa na minha mulher e nos meus filhos, passa para outros familiares mais e menos próximos, atravessa para as pessoas da minha igreja, segue para amigos, doentes, pessoas em luto e uma meia dúzia de inimigos.

 Esse hábito serve para que morem pessoas na minha vida além de mim próprio. E morem a sério, ocupando pelo menos o espaço de lhes saber os nomes de cor. Precisamos saber de cor o nome dos inquilinos na nossa existência. Eu decoro esses nomes orando por eles. O que faz com que minha vida de oração se assemelhe a uma pequena lista telefônica. Minhas crianças já fizeram um comentário parecido quando me ouviram a orar em voz alta, disparando nomes atrás de nomes. Claro que tenho de reconhecer que essa característica é um sinal de uma vida de oração ainda deficiente. Mas é um começo. Na Bíblia, dar nomes tem tudo a ver com começos. Foi isso que Adão foi chamado a fazer por Deus no princípio do mundo, no Gênesis.

 Minha vida de oração está no nível primário de descobrir também o "nosso" em "Pai nosso". Graças a Deus por essa descoberta! Porque, sendo primária, é fundamental. Não dá para saber nada de oração se julgamos que somos os únicos chamados a saber. Não existe uma verdadeira abertura à pobreza à nossa volta sem um exercício de oração. O que de errado existe lá fora tem de passar para o que de certo tentamos fazer cá dentro, orando a Deus Pai. Se a pior fome de todas é contar com a fartura, a oração do Pai Nosso, com sua vigorosa limitação do pão apenas ao dia presente, é o antídoto perfeito. Somos corrigidos na direção do contentamento que, ambiciosamente, abre espaço em nós para que, ao nos alegrarmos em Deus, procuremos também alegrarmo-nos nos outros.

Recorrer ao Padrinho ou ao Pai

Todas os problemas de medo são, em última instância, problemas de falta de oração. E, sendo os problemas de medo problemas de falta de oração, são também eventualmente problemas de oração ao deus errado. Para um cristão como eu, a pergunta coloca-se mais ou menos assim: para quem estou, de fato, a orar quando aquilo que oro está mais firmado num desejo de continuar a ter o que já tenho do que na possibilidade de o Deus a quem oro ter poder de intervenção real no que tenho? Se aquilo que peço e agradeço em oração serve de manutenção das propriedades sem as quais já não sei viver, então não é de oração que estamos a falar — é apenas contabilidade.

O Padrinho, de Francis Ford Coppolla, é um dos melhores filmes de sempre.[4] Sua primeira cena pode ser uma lição acerca de oração. Nela, assistimos a um pedido de ajuda feito a Don Corleone, a personagem inesquecível protagonizada por Marlon Brando. A pessoa que pede a intervenção de Don Corleone é filmada num plano que vai abrindo lentamente. Mas o tempo que demora esse movimento faz com que passemos alguns minutos

---

[4] *The Godfather* (EUA, 1972); no Brasil, *O Poderoso Chefão*.
Não sei se alguém que nunca viu esse filme pode dizer que alguma vez viu um filme.

como que ouvindo a oração de um suplicante. A entidade a quem se pede ouve sem ser ouvida. É uma espécie de reconhecimento de onipotência a Don Corleone. Finalmente, ele aparece em cena. Mas só lhe ouvimos a voz quando, através da lenta evolução do plano em direção a um ouvinte transcendente, o padrinho já foi estabelecido como alguém que tem o poder de ouvir orações e responder a elas.

Adicionalmente, Don Corleone começa por responder ao homem perguntando-lhe por que razão é que, se ele queria justiça verdadeira, não foi a ele primeiro, em vez de ter confiado na polícia e nos tribunais. Quero ser cuidadoso nesta ilustração porque Deus não pode ser comparado irreverentemente a um mafioso com poder. Mas há uma verdade que creio que pode ser resgatada no filme e que interessa para a correção da nossa amedrontada e pobre vida de oração: confiar em Deus também é ir até ele antes de tentar resolver o problema noutro lugar qualquer.

O problema de tentar ir a Deus quando já tentamos todas as outras opções é que, por um lado, expõe que as outras opções são, em nosso coração, mais confiáveis do que Deus, e, por outro, revela que não é apenas com o medo que estamos a lidar mal — é com o contentamento também. Oramos a Deus não porque ele é fundamentalmente o nosso amigo, mas porque talvez ele consiga, depois de esgotadas as outras opções, manter em nossa vida a devoção que temos entregado a tanto que não a ele. A questão é que Deus, antes de ser aquele que nos trata do medo, precisa ser o nosso próprio contentamento. A primeira cena de *O Padrinho* ilustra isso mesmo.

Ao Padrinho recorremos sobretudo para que nossa vida fique a mesma; ao Pai recorremos dando-lhe a possibilidade de ele a agitar seriamente. Talvez eu julgasse que era possível aterrar em São Paulo e permanecer o mesmo. Estava enganado.

Fizemos orações, levamo-la à igreja, fizemos sessões de macumba. Tudo isso resultava, mas por pouco tempo. A nossa vida lá em casa estava um caos e eu já não sabia o que havia de fazer. A certa altura, durante um desses "ataques", olhei-a nos olhos e em pensamentos disse ao espírito: "Deixa a minha sogra, vem para mim que eu sou mais forte". Pela boca da minha sogra saiu uma pergunta em tom autoritário: "Tem a certeza?" E, em pensamento, respondi que sim.

Luís Miguel Militão Guerreiro,
Morrer na Praia do Futuro

4

A chegada aos púlpitos brasileiros

Aterrei em São Paulo no final do verão brasileiro. E verão brasileiro, já sabem, é verão a sério. Quente, quente, quente. O irmão Oziel, que foi ter comigo, teve um furo num pneu antes mesmo de me encontrar no aeroporto, o que significou um auspicioso esforço físico sob o inclemente calor paulista — recebe a tua boa-vinda, português, enquanto dobras as costas ao sol de Vera Cruz! O carro era um Chevrolet Zafira porque lá não há Opel. Pouco ligo para automóveis, mas como já tive um Opel Zafira, notei a diferença.

Aproveitei para meter logo no início da conversa uma referência à minha preferência por uma condução lenta. A verdade é que com a idade estou cada vez pior e sofro quase tanto no lugar do passageiro como num avião. O irmão Oziel era um homem de alguma fé porque confiava na qualidade daquela estrada, quando o conceito de estrada boa no Brasil é bem diferente do de Portugal. Mas lá chegámos a São José dos Campos, a cerca de uma hora de São Paulo. Vinha com fome e instalei-me no Hotel Ibis para receber em poucos minutos o Daniel Gardner, que me levou para comer *sushi*. O *sushi* brasileiro está à frente do português. Aliás, pelo que sei, foi a imigração brasileira em Portugal que deu um incentivo decisivo ao *sushi* português. Almocei muito bem, e a companhia do Daniel foi ótima. O Daniel veio de uma igreja landmarkista restrita, mas tornou-se mais teologicamente reformado há pouco tempo (o landmarkismo é um movimento batista americano numericamente pouco expressivo mas muito vincado — o meu avô materno abraçou o landmarkismo na década de 1960, criando a Associação de Igrejas Baptistas Portuguesas, que, sendo landmarkistas, hoje pouco preservam a identidade). O Daniel é um brasileiro engraçado porque, de certo modo, é mais americano que brasileiro (os pais eram missionários americanos no Brasil) e tem um sentido de humor fantástico, sabendo lidar muito bem com as piadas que constantemente fazem com ele por ter sido educado em *homeschooling*. Como também tenho filhos *homeschoolers*, criei rapidamente uma ligação com o Daniel.

Na noite da minha chegada, jantei ainda com a família Ferreira: o Franklin, a Marilene e a filha Beatriz. Sem os Ferreiras não teria chegado ao Brasil. Cuidaram de mim como se fosse parte da família. Alimentaram-me com abundância (tenho pena de perder apetite sempre que viajo porque, se fosse agora, comia aquele rodízio do almoço de sábado como se fosse gente grande), ofereceram-me presentes (e presentes para minha família) e descontos valiosos em livros da Editora Vida Nova (que não aproveitei pela mala cheia que tinha), e orientaram-me em tudo. O Franklin é hoje um dos nomes mais merecidamente crescentes no meio evangélico brasileiro, sobretudo reformado. O Franklin tem um conhecimento raro e é uma cabeça daquelas que dá impressão de que nada lhe escapa. O Franklin ama história e sabe apaixonar as pessoas à volta dele para a história — um dom verdadeiramente católico.

Desmazelo e doença

Antes que chegasse domingo, averiguei junto dos presbíteros da Igreja Batista da Graça de São José dos Campos sobre qual o *dress code* — era lá o primeiro lugar onde estaria a pregar. Apesar de me terem colocado à vontade, optei por usar uma gravata. A questão é que me havia esquecido delas em Portugal. Tive de ir ao centro comercial, que era exatamente ao lado do hotel. Já fui mais de compras de roupa do que sou hoje, mas fui tratar do assunto. O centro comercial estava cheio — sábado à tarde tórrido no estado de São Paulo — e digamos que os consumidores se vestem de acordo com a temperatura: pouco. Nesse equilíbrio periclitante entre roupa e clima, a elegância não abunda. E, nesse sentido, devo assumir junto dos meus amados irmãos brasileiros que tenho contra eles o contágio aqui em Portugal da epidemia de chinelos (e para mim este dogma é incontornável: homens com chinelos são homens sem dignidade). Eu tentei passar por cima dessa rastejante praga e procurar uma loja com gravatas.

Há gravatas abaixo do Equador! Pelo menos havia na C&A. Fui pagar para a caixa errada e quando paguei na caixa certa fizeram-me uma pergunta num português do Brasil demasiado rápido para entender. Respondi que não sem entender, peguei as duas gravatas e voltei ao hotel. De volta à civilização e ao ar-condicionado.

Antigamente os pregadores tinham de se vestir bem porque a pregação era mais importante do que eles e a isso os exigia. Hoje os pregadores podem vestir-se como quiserem porque a expressão de sua individualidade é mais importante do que os aspectos formais associados à pregação. Nossa cultura substituiu o dogma do dever (por vezes exagerado no passado, reconheçamos) pelo dogma da autenticidade. A ironia é que, estando nós, os pregadores, livres para nos apresentarmos como achamos melhor, estamos também mais presos a ter sempre de exprimir nossa personalidade através do que vestimos. Não estamos mais livres. Pelo contrário, estamos mais pesados em termos de ser fiéis a nós próprios. A obsessão pela autenticidade pode ser uma droga, e o fato de tantos serem insensíveis ao fenômeno só prova que ela nos entorpece mesmo.

A elegância tornou-se um valor demasiado complicado, e os registos fotográficos do nosso tempo disso testemunharão com clareza. Nunca fomos tão fotografados como hoje, e nunca a elegância esteve tão longe de nós como hoje. Não habita aqui uma preciosa contradição? Parece que há uma moral da história: quanto mais uma cultura se entregar à pose para a posteridade, provavelmente mais rápido ela perderá uma noção concreta de graciosidade. A era das *selfies* também significa que só estamos satisfeitos quando os nossos rostos invadem todo o espaço visual, atingindo uma desfiguração da relação equilibrada que deveria existir entre nós e o espaço que ocupamos. É por estarmos tão obcecados com a imagem que tendemos a perder de vista uma harmonia estética. Nunca houve uma época tão boa para celebrar o desmazelo. Mas regresso aonde estava antes.

Domingo de manhã na Igreja Batista da Graça de São José dos Campos e, claro!, era o único de gravata. Sem problema porque, hoje assumo sem culpa, gosto delas. Mas outro preconceito foi logo vencido. O preconceito português de que qualquer serviço de culto brasileiro seja mais agitado. Neste caso, a Igreja Batista da Graça segue uma liturgia mais tradicional e, por isso, era prudente não pregar de uma maneira que fosse tomada como irreverente. Foi o que tentei. A igreja foi muito generosa comigo (e a família do presbítero Valdo em particular, acompanhando-me no almoço), e conheci lá pessoalmente o Márcio, o pai de uma família pela qual temos orado na nossa Igreja na Lapa, desde que soubemos do AVC que a esposa, a Renata, teve após o nascimento do sexto rapaz deles, no verão de 2016. Foi com emoção que o reconheci.

Lá estava o Márcio, esperando em Deus um milagre que cada vez mais parece improvável, levando a vida para a frente com seis rapazes, um deles bebê (desde que escrevi este texto, Deus tem respondido às nossas orações e a Renata tem melhorado — continuemos a orar por ela!). Não nego que me senti nas margens do choro umas quantas vezes, mas a presença forte dele suscitou alguma força em mim, pelo menos para me conter.

Provavelmente, nosso cristianismo no Ocidente tornou-se demasiado dependente da saúde que o progresso tecnológico nos trouxe. E, como calculam, todo eu sou a favor dessa saúde. Mas não nego que num episódio destes, ao estar face a face com um homem testado pelo sofrimento, sinto-me irremediavelmente infantil. O que sei eu, afinal, acerca de confiar quando confiar aparentemente não nos tira do zero? Até que ponto é que minha fé cristã tem sido uma espiritualização de uma vida em soma constante? Como responderia diante de um sofrimento quando sem o sofrimento de um crucificado não haveria a fé que chamo minha? A chegada imprevista do Márcio também pode ter sido uma realidade que ganhou rosto e que tende a manter-se distante em nossa vida, que é a de confiar em Deus quando confiar em Deus parece não dar em nada. Não é isso também o que significa ter fé — confiar sem nenhuma aparente vantagem à vista?

Talvez os cristãos do Ocidente de hoje tenham perdido vigor na oração por estarem tão servidos de cuidados médicos. O que quero dizer com isso? Minha tese é que, ficando nós acostumados a ser saudáveis, torna-se mais difícil ter fé diante do sofrimento físico. O sofrimento físico começa a ser a exceção de um modo que, quando aparece, parece uma perturbação da ordem natural das coisas. Em tempos antigos, em que a saúde não era tomada como a ordem natural das coisas, ou que, pelo menos, havia uma tolerância maior à convicção de que viver era estar muito mais frequentemente doente, a nossa relação com Deus e com o mundo não era tão perturbada pela doença. Pelo contrário, estar doente, sendo mais normal, tornava nossas orações mais prontas no sentido de suportar as doenças, e não tanto no sentido de erradicá-las.

Há uns tempos lia sobre a biografia de Robert Murray McCheyne, o missionário escocês do século 19, e impressionava-me a constância de seus achaques físicos.[1] Claro que ele pedia a Deus que os atenuasse. Mas o ponto principal não era a expressão de alívio quando se sentia saudável, mas a expressão de confiança em Deus no meio da doença.

Não é por isso casual que o paganismo, em sua relação com a doença, invocasse uma lógica completamente distinta da lógica do cristianismo. Os velhos feiticeiros e druidas trabalhavam, não para a tolerância à dor, mas para o domínio sobre ela. Um dos escritores que melhor consegue ilustrar essa questão é o John Updike. Quando li *The Widows of Eastwick*, a sequência de *The Witches of Eastwick*,[2] entendi melhor como, na perda do cristianismo no Ocidente, a repaganização em curso também se torna irresistível precisamente pela sua luta assumida de controle da natureza, quer ela venha pelo discurso científico, quer

---

[1] A biografia de Robert Murray McCheyne é bastante acessível por meio da internet. Ler homens fiéis na doença tira fragilidade à fé de homens saudáveis.

[2] Respectivamente, *As viúvas de Eastwick* e *As bruxas de Eastwick* (São Paulo: Companhia das Letras, 2010).

O John Updike é dos meus escritores norte-americanos preferidos dos séculos 20 e 21. Consegue tratar o idealismo americano com carinho, parece-me. Noutros escritores norte-americanos da mesma época há um cinismo persistente, que parece quase querer comemorar as derrotas do país, numa espécie de contradição moralista de quem quer rir dos moralistas. Updike, por outro lado, aponta as misérias coletivas da sua nação sem querer fazer disso um triunfo individual.

venha pelo regresso das ancestrais bruxarias. À medida que perdemos a fé em Jesus, aumenta a nossa confiança em cientistas e xamãs. Apesar de eles parecerem adversários uns dos outros, espiritualmente encarnam o mesmo princípio de recusa da doença como condição natural desta vida. Que seja claro que, quando digo isto, não celebro qualquer tipo de teologia da miséria física — agradeço a Deus por viver num século 21 cheio de tecnologia médica. Mas sei que, com semelhante bênção, vem uma grande responsabilidade espiritual que é a de resistir à ingratidão. O John Updike ajuda-nos a entender isso melhor.

A feitiçaria do autoperdão

O que o John Updike faz em *The Widows of Eastwick* é recuperar a tradição anglo-saxônica dos contos fantásticos para efeitos morais. Nesse sentido, e talvez pela sua paradoxal juventude, pertence aos Estados Unidos o papel de não deixar morrer a fábula enfeitiçada. Estou convicto de que na América os escritores ainda arriscam pensar que é numa história de fatos fantásticos que melhor se traduz o que realmente somos. A realidade é demasiado irrequieta para que julguemos que a observamos melhor através de histórias desprovidas do sobrenatural.

Nesse caso, John Updike sabe que ser bruxa é preferir a criação em vez do Criador — a feitiçaria é uma idolatria consciente e esclarecida. Logo, não admira que o trio de bruxas de Eastwick esteja animado de uma leitura acelerada da realidade, que rapidamente nos conquista. Por que gostamos de boas histórias com bruxas, afinal? Porque, quando sabemos o que as bruxas pensam, vemos o mundo descrito com precisão por quem escolheu dominá-lo em vez de aceitá-lo. A sabedoria das bruxas é mais realista do que a de boa parte dos sábios contemporâneos. Muitos sábios contemporâneos tendem a ser frangotes que se escondem por trás de humildade epistemológica — eles só sabem que nada sabem. Já a bruxa não está para truques: ela não escolhe saber, ela sabe porque escolheu dominar.

É fácil sermos arrogantes com o universo do ocultismo (um nome assustadiço para bruxaria), considerando-o campo de superstição e ignorância. Mas o poder do ocultismo reside, não em ser um refúgio para a ignorância, mas em ser uma procura de dominar a natureza. Se pensarmos que as bruxas são essencialmente burras, nós as teremos como inofensivas. Acontece que as bruxas são efetivamente perigosas porque não desistem de lutar contra a natureza. As bruxas são seres religiosos que, em vez de aceitar a natureza com o consolo da fé, tentam dominá-la sacando-lhe novas circunstâncias. Onde a fé se resigna, o feitiço revolta-se. Naturalmente, a bruxaria oferece soluções onde o cristianismo aceita o problema.

Permitam-me aqui uma outra e breve divagação. Uma boa parte do chamado discurso político de gênero de hoje opera na mesma base da feitiçaria antiga, nessa tal tentativa de domínio da natureza. Por isso, não é raro que as bruxas modernas sejam das mais estridentes defensoras dos direitos LGBTQ etc. (há muita wiccaria na região de Rhode Island, onde a história se passa). Volta e meia, lê-se um homem homossexual chorando o fato de os homens serem demasiados tímidos na causa. Só quem não entende a luta eterna da mulher contra a natureza se espanta com o fato de serem elas o pelotão da frente nessa luta. Para isso nem é preciso ler John Updike (ou a grande Camilla Paglia[3]). Basta ler o terceiro capítulo do Gênesis. O maior êxito da feitiçaria é sempre o de sugerir que o conceito de pecado é absurdo. O bom bruxo (para também não dar a ideia de que a bruxaria é um exclusivo feminino) não precisa de Deus porque aprendeu a perdoar a si próprio. Não é à toa que a bruxa Jane diz em certo ponto de *The Widows of Eastwick*: "As pessoas andam por aí a chorar a morte de Deus; é a morte do pecado que me incomoda. Sem o pecado as pessoas já não são pessoas, são apenas ovelhas sem alma". E mais tarde, perto da conclusão da história, Updike resume o essencial sobre o trio de feiticeiras: "Perdoando a si mesmas o imperdoável, livrando-se da culpa tão casualmente como, quando eram mais novas, livravam-se das roupas". Perdoar a si mesmo é o feitiço dos feitiços.

A razão porque o cristianismo deve ser impiedoso com qualquer discurso de autoajuda é porque, com a melhor das aparências (como geralmente têm as melhores bruxas), ele se limita a ser um feitiço. A pessoa que se aceita como é, é uma pessoa autoenfeitiçada. Se entendermos isso, descobriremos que vivemos numa época eficazmente repaganizada — nesse sentido, nunca antes fomos tão ocultistas como somos hoje. Precisamos de antídotos que nos libertem da maldição da autoestima porque a autoestima mantém-nos sem necessidade de Deus. Deus só se torna

---

[3] Camille Paglia é a melhor feminista viva. Até quando discordamos, nos deliciamos. Não é por acaso que é uma feminista odiada por muitos que se consideram os porta-estandartes atuais do feminismo.

necessário para quem ainda não aprendeu a arte dos feitiços. Como bom protestante que tento ser, deixem-me usar ainda o exemplo de Maria, que de modo algum deve ser tido como exclusivo romano.

A religião dos bruxos vem sempre das entranhas, das vísceras, dos elementos. Os bruxos tentam sua própria versão da maternidade, que, neste caso, não é aceitar a vida, mas criar uma nova. Maria, mãe de Jesus, é a verdadeira antibruxa. Maria aceita uma vida da qual não chegou a participar no processo de a gerar. Maria é, toda ela, aceitação passiva, o que irrita de morte qualquer bruxa. Graças à intervenção direta do Espírito Santo, a passividade de Maria produz o que a melhor fertilidade feiticeira não consegue (daí ser especialmente triste o culto romano mariano, uma horrorosa descaracterização da fértil passividade da mãe de Jesus, em que Maria é invocada numa lógica não muito distante das invocações mágicas). Quanto mais biblicamente marianos somos, menos tentamos trocar negócios com Deus. Aceitar o que Deus nos dá é repugnante a um mundo que tenta dominar a natureza.

Voltando ao Márcio e à sua esposa Renata, fui relembrado de que a pessoa de verdadeira oração permanece orando mesmo quando a oração não funciona como um feitiço certeiro. Isso deixou-me naturalmente envergonhado porque, devo reconhecer, até hoje nunca fui exposto a uma semelhante circunstância de oração tão perto assim na minha família. Os cristãos devem agradecer a Deus pelos médicos que têm hoje, mas, ainda mais, devem agradecer a Deus pelo Deus que têm mesmo quando os médicos não chegam.

Não há universalidade sem paroquialidade

Foi também logo nesse primeiro serviço de culto no Brasil, na Igreja Batista da Graça de São José dos Campos, que voltei a entender que aquilo que acontece em Lisboa, aos domingos na minha Igreja na Lapa, é muito mais do que julgo. Já tinha passado domingos noutras igrejas estrangeiras, mas no Brasil bateu-me forte a realidade universal da igreja — a igreja de todos os lugares e de todos os tempos.

Notem a ironia: as pessoas que são pouco firmes a frequentar a igreja local, são também pouco firmes na hora de entender a riqueza da igreja universal. Quanto mais profundamente vivo a igreja local de que faço parte, mais aberto estou para ser enriquecido pelas outras igrejas que visito, por longínquas e distantes que sejam. Porque o que abre as escotilhas da minha satisfação com a igreja que visito não são os meus critérios pessoais, mas o critério de estar previamente treinado em comunhão na igreja que habitualmente frequento. Revisitando um velho *slogan* publicitário português: para ir fora é preciso ir dentro. Graças à Lapa, todo o resto do mundo pode ir mais longe dentro de mim.

Ainda nesse domingo, preguei na aula inaugural do terceiro ano do Seminário Martin Bucer. O ambiente era mais informal e reconheço que tirei a gravata (sei que fraquejei na elegância, mas o calor brasileiro não facilita). Havia muita juventude presente, e aí começou a assinatura de dedicatórias nos três livros que foram editados no Brasil pela Editora Vida Nova. Quantos autógrafos terei dado durante minha estadia no Brasil? Muitas dezenas, talvez centenas? O brasileiro não tem o encolhimento português. Quando vai, vai mesmo. Quer a assinatura, quer a foto, quer a conversa. E graças a Deus por isso! Estou cada vez mais brasileiro nessas coisas. A distância europeia, tendo alguma justificação, parece-me mais postiça. As pessoas não compreendem que, às vezes, não abordar o autor enquanto autor é deixar que a impressão pela figura pública nos impressione mais. Na Europa, ao não querermos alimentar o *show*, deixamos o autor mais isolado de nosso contato e ele passa a mover-se numa esfera inatingível. Ao menos, com a tríade autógrafo-foto-conversa, o autor não escapa do mundo real nem do contato com as pessoas que o leem (ou que o vão ler).

Ao mesmo tempo, também reconheço que esse momento triplo autógrafo-foto-conversa pode ser o mais cansativo de todos. Quando pregamos, sabemos mais ou menos o que vamos pregar. Quando palestramos, sabemos mais ou menos o que vamos palestrar. Mas quando estamos em regime livre de convívio, nunca sabemos muito bem o que nos vai ser perguntado e, frequentemente, o que nos perguntam é sério e pertinente demais para podermos dar apenas uma resposta de ocasião. No final da minha excursão, em Curitiba, e se é verdade que ali eu já estava doente (como explicarei mais à frente), os momentos do autógrafo-foto-conversa deixaram-me exausto. Tenho pena das pessoas que terão ido ter comigo para receberem apenas uma versão cadáver de quem sou. A elas, e se me estiverem a ler, o meu pedido de desculpas. Para a próxima, tentarei estar mais aprumado na minha caligrafia, no meu aspecto e nas minhas respostas.

*Entretanto, o Tavares ligou-me de Portugal
a dizer que no mês seguinte ele e duas pessoas
viriam passar férias ao Brasil, e que queriam
encontrar-se comigo. Fiquei mais desesperado.
Não tinha dinheiro para pagar o que lhe
estava a dever. Foi então que contei ao Daniel
que vinham uns amigos meus de Portugal.
O Daniel sugeriu que fizéssemos com eles o que
estávamos a tentar fazer com os franceses, ou
seja, sequestrá-los e matá-los a seguir. A morte
era inevitável, pois só assim se garantia que
não havia ninguém para nos identificar. Eis
como pensavam as nossas mentes pequenas
e incipientes no mundo do crime. Disse que
não tinha coragem de os matar e o Daniel
respondeu: "Eu tenho." Perguntei-lhe se tinha
a certeza do que estava a dizer e ele disse que
sim. Tínhamos cerca de um mês para planear
tudo. Foi então que começaram as reuniões
constantes na "barraca dos horrores".*

                    Luís Miguel Militão Guerreiro,
                          Morrer na Praia do Futuro

5
Ser mau é o segredo para não ter medo de mudar

Portugal é uma migalha insignificante quando comparado com o Brasil. O primeiro lugar aonde cheguei, o estado de São Paulo, faz, em termos de população, quatro vezes o nosso país inteiro. Logo, qualquer equivalência direta entre um e outro torna-se complicada. Ainda assim, gostaria de tentar uma. Há quem estime que os evangélicos no Brasil comecem a chegar perto de 30% da população de quase 210 milhões de brasileiros — imaginem algo perto de 70 milhões de evangélicos brasileiros. Se estimada assim, a população evangélica brasileira é quase sete Portugais. É muito povo.

O que acontece num universo religioso desses é que há de tudo. Há literalmente de tudo no mundo evangélico.

Há luteranos que acreditam em coisas (espécie há muito morta e enterrada na Europa) e há alucinados que mal se distinguem do animismo africano. Ora, não dá para aplicar a moral portuguesa à matéria do Brasil. Portugal teria de deixar de ser Portugal para realmente compreender alguma coisa sobre o Brasil. Nesse sentido, o Brasil estará sempre além do nosso alcance. Se o alcançamos no passado, o fizemos do modo provavelmente mais fácil que foi o físico. Em nível espiritual, o Brasil continua por ser descoberto pelos portugueses — é um universo extraterrestre para nós.

Na psicodélica heterogeneidade evangélica brasileira, todos têm espaço para o seu próprio planeta dentro daquela galáxia. Os pentecostais têm impérios, os carismáticos têm impérios, os batistas têm uns reinos jeitosos, e até os calvinistas (ou reformados) arranjam umas naçõezitas. Qualquer empreendimento religioso tem pernas para andar no Brasil. Não querer compreender isso é não querer sair de Portugal. O Brasil é, em termos religiosos, uns Estados Unidos mais relaxados — há sempre espaço para mais uma igreja. Claro que isso também tem a ver com o fato de ambos serem países novos e não terem os traumas históricos da Europa. O que quero salientar é que o mundo religioso brasileiro, correspondendo à juventude da própria nação, ainda é um universo em expansão. Espiritualmente falando, o *big bang* acabou de acontecer no Brasil.

Imaginem-me, por isso, a percorrer a Avenida Andrômeda e imediações em São José dos Campos. A princípio é divertido porque a pessoa ainda tenta contar todas as igrejas evangélicas que vê. Mas a determinada altura torna-se impossível. São tantas, e algumas parecem até repetidas. Nesse avistamento só há uma regra: há sempre mais uma igreja por avistar. O país é enorme, o espaço geográfico também, e o espaço dentro das pessoas possível de ser ocupado pela religião, idem. *That's religion in Brazil — you stop counting.*

Há algumas consequências. Primeiro, vou falar de uma consequência disso nos brasileiros, de cada vez que têm de pensar numa realidade religiosa diferente da sua. Os brasileiros têm dificuldades em compreender um mundo mais velho do que o mundo deles e que, portanto, tenha traumas religiosos (os norte-americanos têm o mesmo problema conosco). Para um evangélico brasileiro, a Europa precisa muito do evangelho porque não o conhece. Num certo sentido, concordo — de fato, a Europa não conhece realmente o evangelho. Mas, noutro sentido, tenho de discordar. Porquê? Porque o fato de a Europa não conhecer o evangelho se deve precisamente ao fato de ela presumir que o conhece bem. Ou seja, o secularismo pós-cristão europeu, podendo ser sentido em algumas elites intelectuais brasileiras, é ainda um conceito difícil de ser compreendido pela maioria dos evangélicos brasileiros.

Os brasileiros, demasiado jovens em sua história e em sua relação esperançosa com a fé, têm dificuldades em compreender uma cultura que tem séculos de relação com o cristianismo. Nesse sentido, os brasileiros têm dificuldades em compreender lugares aonde o cristianismo chegou há milênios. A lente que os evangélicos brasileiros tendem a usar para compreender a fé só consegue olhar para o cristianismo enquanto fenômeno ainda fresco. Acontece que a necessidade que a Europa tem de ser evangelizada parte de um pressuposto completamente diferente, que é o de ser uma terra onde o cristianismo é tido como uma coisa velha.

Uma das maneiras que eu usava para, em conversas com os alunos do Seminário Martin Bucer, explicar essa diferença era dizer-lhes que no Brasil o peso está no futuro. Até num país cheio de crises, como o Brasil é, nota-se que as pessoas apostam sempre no futuro. Estava lá quando explodiu o escândalo da manipulação fraudulenta das carnes (googlar "Operação Carne Fraca") e o que disse ao pessoal é que, se alguma coisa parecida acontecesse em Portugal, o país cometeria suicídio coletivo. A política brasileira parece uma comédia pós-apocalíptica, e mesmo assim o povo não desiste do final feliz. Na Europa é diferente. Até se o filme for um musical divertido, as pessoas não esperam que tudo acabe bem.

Na Europa o peso está no passado. Na Europa o que é bom é o que aconteceu, não o que pode vir a acontecer. A glória é sempre antiga. Esperar glórias futuras é visto na Europa como um perigo, o tipo de alucinação que alimentou visionários perigosos como Hitler. Sonhos políticos na Europa só merecem suspeitas. Somos um povo velho e cínico. O brasileiro pode dar-se ao luxo de abrir o coração e ter esperança no meio do caos. O europeu cala-se e, se se sentir à vontade, então abrirá a boca para partilhar as vísceras num murmúrio sem fim (pelo menos o europeu português).

Logo, onde no Brasil (e nos EUA) Deus pode ser uma categoria de liberdade, relacionada com a opção religiosa que eu vou tomar, crendo ou não, na Europa é uma categoria de trauma. Mesmo que o europeu não creia, ele vem necessariamente de famílias que em algum ponto no passado creram. Assim, mencionar Deus numa conversa na Europa, sem mais nem menos, é como um estranho começar a falar conosco na rua sobre aquela tia com quem o nosso pai tem problemas há anos. Não é uma conversa que abre caminhos; é uma conversa que revela as estradas bloqueadas na nossa vida.

A segunda consequência da dimensão interminável da religião no Brasil tem a ver conosco, portugueses. O que os brasileiros sentem em excesso, por serem um país jovem, nós praticamente nada sentimos. Dou um exemplo. Alguns brasileiros com quem conversei um pouco mais sobre Portugal regressaram até mim para uma nova conversa, agora num tom mais emocionado. Vinham comovidos com o que tinham ouvido sobre o meu país e não raramente tinham lágrimas nos olhos. Traziam uma vontade de ser ajuda para o meu país, equacionando até a possibilidade de virem morar em Portugal. Foi como se naquele momento assistisse ao vivo ao que acontece antes de os missionários brasileiros chegarem a Portugal. "Então é assim que a coisa acontece!", apeteceu-me dizer.

Como não esperava por aquela emoção sincera que eles me traziam, ficava meio sem jeito diante das lágrimas deles. Olhem a ironia: é mais fácil para um brasileiro chorar por Portugal do que para um português. E este é o nosso tipo único e exclusivo de patriotismo lusitano, um patriotismo que tenta permanecer emocionalmente distante da pátria. Ou, visto de outro modo, um patriotismo que só se sente patriota quando o distanciamento está em cena. Talvez esta última seja uma maneira mais acertada de olhar para aquilo que no imediato parece uma indiferença dos portugueses em relação a Portugal. Ao dizer isto, nem debato o uso da palavra patriotismo, por ela ser olhada com desconfiança por tantos. Para efeitos da minha experiência, assumo a palavra sem grandes exegeses. O ponto que quero estabelecer é que fiquei comovido (da maneira portuguesa, é claro!, bem contida e silenciosa) pela comoção que o meu país arrancava aos brasileiros.

Seja como for, a migalha portuguesa não pode separar-se do pão brasileiro.

A maturidade espiritual da adolescência brasileira

O português olha com desconfiança para a disponibilidade do brasileiro em tomar decisões que mudam radicalmente sua vida. Iria mais longe e diria que o português (e o europeu no geral) tem a mudança em baixa conta. Para nós, europeus, mudar é sinal de imaturidade. Nossa desconfiança com a mudança é especialmente visível na religião. E o contexto particular do catolicismo popular português torna tudo ainda mais intenso nesses domínios. É certo que o catolicismo chegou a Portugal antes de Portugal ser Portugal. E é certo que o catolicismo contribuiu para que qualquer expressão religiosa diferente fosse vista como um pedido de cidadania estrangeira. Em nossa pequenez, ser português é necessariamente ser católico romano, e qualquer mudança do catolicismo para outra coisa qualquer assume o lugar de uma disfuncionalidade.

Mudar, um fenômeno muito mais tranquilo para a cultura de um país espaçoso ou recente, é um suicídio mental para um país pequeno. Um país pequeno, como Portugal, subsiste em grande parte precisamente pelo fato de todas as pessoas serem conhecidas umas das outras. Um país pequeno não é muito diferente de uma aldeia. Nessa lógica, é imperativo que as coisas permaneçam as mesmas, porque qualquer alteração substancial corre o risco de tornar a aldeia mais parecida com a cidade, onde ninguém se conhece. Apesar de ser politicamente correto as pessoas afirmarem-se abertas à mudança, em Portugal as pessoas só mudam se tiverem a garantia de que, no essencial, tudo se manterá igual.

Uma das razões que também contribui para que o protestantismo evangélico permaneça estranho em Portugal é a da dimensão mínima do país. O trabalho que uma pessoa tem para se reconfigurar socialmente por causa da conversão ao protestantismo é de tal modo despersonalizador que qualquer cidadão, mais satisfeito em sua estabilidade pessoal, foge de conhecer outras realidades religiosas, ainda que o possa fazer inconscientemente. Uma conversão ao protestantismo significa uma mudança realmente considerável, e uma mudança realmente considerável lança-nos para a possibilidade de nos tornarmos irreconhecíveis por aqueles de quem dependemos de confirmação civil.

Num país grande como o Brasil (e os EUA), as pessoas sentem-se livres para mudar de religião porque o mundo é um sem-fim de novas decisões que tomamos sem termos de nos conformar aos apertados critérios da aldeia. A pessoa que se sente livre para mudar crê sempre num mundo maior do que a pessoa que receia a mudança. Nesse sentido, o mundo português é irremediavelmente minúsculo quando comparado com o dos brasileiros, e isso atesta-se nas questões espirituais.

Reduzindo tudo isso à sua tese mais nuclear, o que digo é que um país realmente aberto à mudança é um país onde a diversidade religiosa é intensa. Se a diversidade religiosa não é intensa, é sinal de que um país não é realmente aberto à mudança. Agora, descubram os sociólogos de que precisam para corroborar esta coisa óbvia. Em Portugal o protestantismo é fraco porque o medo da mudança é forte.

O divino dano dinamarquês

O protestantismo assusta, e essa é uma das suas características mais preciosas. Hoje os protestantes são virtualmente os únicos no cristianismo a acreditar consistentemente na existência do mal. Não é possível ser protestante sem viver obcecado pelo mal, e isso, que é visto como próximo da doença mental, é a maior liberdade que uma pessoa pode experimentar. Todas as manifestações ditas cristãs que resolvem o problema do mal e libertam as pessoas da culpa representarão, mais tarde ou mais cedo, o fim da necessidade da própria fé. Jesus veio para os maus, e não para os bons. Cristãos que se julgam emancipar numa prática comum da bondade tornam-se tragicamente as pessoas por quem Jesus não precisa fazer coisa alguma. A partir do momento em que um cristão se torna essencialmente uma pessoa boa, ele cessa de ser cristão.

Søren Kierkegaard, um dos heróis da minha adolescência tardia e que continua a segurar-se nos meus amores, explicava isso com talento no livro preferido que escreveu, *Indøvelse i Christendom*, ou *Prática do cristianismo*.[1] Nele, explicava que alguém que é cristão com base nos triunfos morais do cristianismo acaba por se relacionar com tudo menos com Cristo. Se alguém opta pelo cristianismo porque nele encontra uma visão razoável e harmoniosa da realidade, está enganado. O segredo está no avesso: ser verdadeiramente cristão é partilhar do sofrimento de Jesus, tendo uma experiência concreta de humilhação e rejeição, enquanto o mundo nos despreza intelectualmente.

Kierkegaard sabia que o cristianismo tem de ser vivido pelo seu negativo. Todos os que rejeitam Cristo, rejeitam-no porque se sentem ofendidos por ele — "E bem-aventurado é aquele que não achar em mim motivo de tropeço" (Mateus 11.6). E, a rigor, até aquele que segue Jesus teve previamente de se sentir escandalizado por ele. Se quisermos, o verdadeiro discípulo de Cristo é o que convive com o escândalo da companhia de Jesus sabendo que nesse escândalo está sua salvação. Kierkegaard lutava contra qualquer expressão de cristianismo que se precavesse da ofensa. Um cristianismo de onde se removeu o

---

[1] In *A Kierkegaard Anthology*, editado por Robert Bretall (Princeton, NJ: Princeton University Press, 1973).
Kierkegaard é o meu filósofo preferido. Dizem que é fácil gostar dele quando se é adolescente, o que talvez diga alguma coisa acerca da minha maturidade. De qualquer modo, mais facilmente confio num adolescente para me falar acerca do que a existência é do que num velho cheio de sabedoria. O primeiro capítulo da Primeira Carta de Paulo aos Coríntios não me dá grandes alternativas.

perigo é outra coisa qualquer, mas cristianismo não é com certeza.

O filósofo dinamarquês ia mais longe e dizia que só havia esperança para quem não fugisse do Jesus que parece fazer-nos tropeçar. Para um dia podermos ver a glória de Cristo, precisamos antes partilhar do estado de humilhação e ofensa que ele provoca. A verdadeira felicidade de um cristão é a de, no meio de uma maioria que despreza nosso Senhor por ele representar o oposto das nossas ambições naturais, sermos transformados progressivamente e não nos sentirmos mais ofendidos por Cristo, recebendo agora a ofensa que o mundo nos lança como uma real bem-aventurança. Nas palavras do próprio Kierkegaard: "Ó, que contradição amarga — ter de trabalhar arduamente para obter aquilo que nos faz gemer, aquilo de que uma pessoa foge!".

O bom Søren dizia que a compaixão humana era uma invenção reles, uma real crueldade: é o pecado que, ao ser reconhecido, se torna a razão por que Jesus nos alcança e alivia. Mais ainda. As palavras de Jesus, apesar de dizerem: "Vinde a mim", tendo em conta os tantos homens que delas covardemente fogem, deveriam mais realisticamente serem lidas como "Fugi de mim, profanos!". Se não forem cristãos evangélicos a dizerem estas coisas, não será certamente a onipresente empatia católica romana a dar-lhe eco.

Onde a pertinência de Kierkegaard também está, e sobretudo de um modo muito útil para o neoescolasticismo católico romano triunfalista dos nossos dias, é em lembrar que todo o impacto da tradição de dois mil anos do cristianismo (à época dele, uns 1800 anos) não viabiliza a crença de que Jesus era Deus. Não é, de fato, a razão que leva do ponto A, que é a descrença, ao ponto B, que é a crença de que Jesus é Deus. Nesse sentido, esse neoescolasticismo triunfalista católico romano dos nossos dias tem os dias contados, porque está a atrair uma adesão mais baseada num sentimento intelectual de superioridade do que na humilhação necessária ao ato de confessar que Jesus Cristo é o Senhor. Quem com triunfos mata, com triunfos morrerá.

A perseguição e desprezo que Cristo provou na terra não foram acidentais: "Não é Ele que, depois de se deixar nascer e fazer a sua aparição na Judeia, se apresenta para ser examinado pela história; Ele é que é o examinador, a sua vida é o exame, e não apenas para a sua geração, mas para toda a humanidade". Não é a história que examina Cristo, mas Cristo que examina a história. Qualquer geração da história é chamada a contemplar Cristo em humilhação, para que essa humilhação dele possa e deva caracterizar cada geração que o contempla. O problema da época de Kierkegaard, e da nossa!, é o risco de contemplar Cristo esquecendo-nos convenientemente de sua humilhação, para que possamos identificar-nos com ele em glória. E isso é indevido para qualquer época.

Quando um suposto cristão se afirma a partir de querer partilhar com Cristo algum tipo de glória, na realidade acabou de aderir ao paganismo. Se assim acontece, Cristo deixa de poder ofender a época para servir apenas como um criado na glória que essa época já reclama para si mesma. "Uma pessoa que não sabe o que é ser ofendido, ainda menos sabe o que é louvar": se não sabes sentir-te realmente ofendido por Cristo, nunca poderás ter a pretensão de louvá-lo. Os cristãos evangélicos existem para enfatizar essa ofensa.

Para que aceitemos o convite de Jesus temos de abdicar de tudo o que a nossa época diz ser importante. É por isso que esse Cristo, que nos convida, se coloca sempre numa posição de julgar a própria história. Se o cristianismo se torna a resposta à época que vivemos, é porque o convite já não está a ser feito por Jesus, mas pela própria época que vivemos. "Jesus não vai tolerar ser transformado pelos homens e tornar-se um Deus humano e simpático: Ele vai transformar os homens, e isso a partir do seu amor". O amor é maior perigo que existe. Não é possível tornar o cristianismo gentil. De certo modo, "o absoluto", que é Cristo, "é a maior peste".

Um homem tornar-se cristão pode revelar-se o pior tormento possível: "apenas a consciência do pecado pode levar alguém a esta situação assustadora — sendo que o poder que está no outro lado é a graça. [...] Visto de outra perspectiva qualquer, o cristianismo é e tem de ser um tipo de loucura ou o maior horror possível". Os cristãos evangélicos, símbolos de fanatismo para a maioria, são as pessoas perfeitas para pregar essa mensagem. Nunca precisamos tanto dela.

Inexperientes no crime e possuídos pelo demônio, começamos a planear detalhadamente como tudo se iria passar. Eu ia buscar os portugueses ao aeroporto e levá-los à barraca, com o pretexto de que tínhamos um grupo de mulheres à espera. Assim que chegássemos, seríamos surpreendidos por um bando de criminosos, que nos amarravam e enfiavam nas casas de banho. Decidimos que eu também seria sequestrado juntamente com os outros portugueses. [...] Pouco depois, iria ter com eles com um revólver apontado, supostamente ameaçado de morte, e pedia--lhes o dinheiro, os cartões de crédito e os códigos. Era quase certo que, com medo de morrerem ou que me acontecesse alguma coisa, acabariam por dizer tudo. Depois disso eu saía e ia levantar o dinheiro com os cartões, enquanto eles seriam mortos com uma paulada na cabeça e enterrados num buraco [...] na cozinha da barraca.

Luís Miguel Militão Guerreiro,
Morrer na Praia do Futuro

6

A alegria é a garrafa em que o brasileiro se encharca e o português nem toca

Depois de dois dias no Hotel Ibis de São José dos Campos, em frente a um *shopping* que envergava uma enorme bandeira brasileira (expliquei à família Ferreira que em Portugal apenas edifícios governamentais ou de caráter mais institucional exibem bandeiras — nós temos dificuldade em misturar país e negócios, o que talvez explique as nossas crises econômicas — se bem que as crises do Brasil também não se resolvem pelo fato de terem grandes bandeiras nacionais em *shoppings*), segui para cinco dias no sítio (e agora quero dizer sítio no sentido de quinta mesmo) do Seminário Martin Bucer, onde uma semana intensiva de estudos começava. O Seminário Martin

Bucer trabalha com alunos que algumas vezes ao longo do ano se reúnem para semanas intensivas, não sendo um seminário tradicional onde os estudantes de teologia estão a viver. O sítio era uma quinta não muito grande mas bonita, com espaço para campos desportivos e piscina (só lá mergulhei no último dia).

A estrada para lá chegar era indescritível. Em Portugal creio que já não existem estradas assim. O sítio, apesar de estar junto à cidade, exigia mais de meia hora para lá chegar por conta do tempo de percorrer aquelas vias lunares. Duas coisas mais devo referir acerca daquela estrada. Quando, no dia em que deixei o sítio para ir para São Paulo, fui conduzido pelo irmão Bené (de Benedito), ele disse-me que aquele tipo de estrada é geralmente o lugar ideal para raptos, porque não há grande escapatória possível. Este é um dos aspectos que os brasileiros não conseguem entender sobre os portugueses. Geralmente um português é informado acerca do perigo de uma circunstância após essa circunstância ter chegado ao fim. Os brasileiros, provavelmente por estarem bem mais mergulhados em circunstâncias onde o perigo raramente chega ao fim, sentem-se completamente descontraídos para falarem sobre o perigo quando ele ainda permanece. Na prática, não têm grande alternativa. Não foi a única vez que coisa semelhante aconteceu, de eu ser informado acerca dos riscos de uma situação enquanto ela ainda não terminou (mais à frente, quando falar sobre Fortaleza, volto a outro exemplo).

Uma segunda coisa interessante sobre aquela estrada de São José dos Campos é que numa manhã, quando ia gravar em vídeo umas aulas no estúdio usado pelo

Seminário Martin Bucer no centro da cidade, passamos por um cruzamento que tinha uma espécie de altar improvisado por uma manifestação de macumba. A verdade é que já vi coisas parecidas na praia de Santo Amaro de Oeiras, em Portugal. Mas agora via no *habitat* natural e recordava-me de que no Brasil os espíritos não são coisas do passado. No Brasil os espíritos vêm até ti no meio do trânsito, e é melhor que te desvies deles.

Pastores não apocalípticos entregam as ovelhas aos lobos

Quando alguém pensa em Brasil, não pensa em teologia. Mas é um erro. Na semana que passei com estudantes do Seminário Martin Bucer em São José dos Campos, fiquei surpreendido com as conversas que tive. Aliás, vou mais longe e digo que Portugal, em sua migalhez, não tem como chegar ao nível teológico do Brasil nas próximas décadas. E quando eu falo em nível teológico, falo da teologia como uma convicção suficientemente séria a ponto de transformar a vida daqueles que a ela se dedicam. Porque se estivermos a pensar em teologia como uma disciplina incapaz de mudar a vida daqueles que a estudam, aí sim, certamente que Portugal está cheio de teólogos.

Portugal tem teólogos a mais, da perspectiva que são pessoas dadas a abstrações que não beliscam um milímetro de sua vida prática. O que não falta são teólogos católicos romanos cheios de poesia pedante que serve para tudo sem servir para grande coisa (por seu lado, o meio evangélico nem um teólogo consistente consegue gerar). Debitam tiradas supostamente existencialistas acerca de "perplexidades" diante da condição humana, e das "interpelações" do divino, entre outros bocejos que passam por densidade psicológica. Saco o revólver sempre que numa conversa sobre religião ouço palavras como "perplexo", "interpelar" ou "indizível". Geralmente a imprensa portuguesa gosta de padres assim, porque em grande parte funcionam como garantia de que podem ser lidos e ouvidos sem correr o risco de colocar nada em causa. A imprensa portuguesa permite a existência de religiosos desde que a religião permaneça inexistente — em nossos dias baralhados, há vários deles. Mas não é desse tipo de teologia que falo.

A teologia de que falo é aquele conhecimento de Deus que altera nossa vida — é o Deus de Abraão, Isaque e Jacó a mudar a vida do teólogo Moisés dando-lhe uma nova profissão de libertador. E isso porque, no caso do Deus de Abraão, Isaque e Jacó, que é Pai, Filho e Espírito Santo, só se existe na medida em que se faz alguma coisa acontecer. De teologia deste Deus, graças a ele!, o Brasil tem muito. Deixem-me dar um exemplo.

Os estudantes do Seminário Martin Bucer com quem conversava entregavam-se a tentar compreender como é que a Europa podia ter tão pouca fé. Como já disse anteriormente, falta no geral mais memória histórica a um país tão adolescente como o Brasil. Mas a adolescência brasileira compensa quando não permite que alguém, estudando Deus, se isente de ser colocado em causa por ele. A adolescência histórica brasileira é espiritualmente mais produtiva que a experiência esclarecida europeia por esse princípio que assume de que, se o assunto é Deus, o resultado é transformação — é mudança.

Numa das ocasiões em que conversava com os alunos do Seminário Martin Bucer, colocamo-nos numa espécie de jogo que servia para tentar compreender a razão por que os erros europeus são uns e os brasileiros são outros. Influenciado pela leitura de *You Are What You Love*, do teólogo norte-americano James K. A. Smith,[1] lembrei que uma tarefa fundamental de um cristão é descobrir os ídolos da cultura que habita, como Paulo fazia, e especialmente em sua chegada a Atenas (registrada no capítulo 17 dos Atos dos Apóstolos). E aqui quero fazer uma pausa para dar uma perspectiva elementar sobre a tese de Smith.

James K. A. Smith diz que precisamos fazer uma exegese dos rituais que observamos — olhar para o nosso ambiente com olhos apocalípticos. E aqui olhos apocalípticos não significa saber o futuro. Erradamente percebemos a literatura apocalíptica bíblica como um acesso fantástico ao futuro. O professor Smith explica: "A literatura apocalíptica tenta fazer-nos ver os impérios que constituem o nosso ambiente, para que os vejamos como eles realmente são". Olhar apocalipticamente não é uma questão de prever, mas uma questão de desmascarar. É preciso ver através. Nós precisamos aplicar isso mesmo à nossa época.

---

[1] *Você é aquilo que você ama: O poder espiritual do hábito* (São Paulo: Vida Nova, 2017).
 Apesar de haver por vezes um excesso na crítica que Smith faz ao intelectualismo (como se o maior mal dos nossos tempos fosse pensarmos demais), o livro é muito pertinente. Somos mais do que cérebros com pernas, e por isso o poder do hábito é espiritualmente muito superior do que tendemos a reconhecer. Estudamos esse livro durante 2017 na Igreja da Lapa, e foi uma bênção.

Quando o apóstolo João recebe a visão do Apocalipse, que deu origem ao último livro da Bíblia, mais que prever o que estava para acontecer, ele adorava o verdadeiro Deus enquanto denunciava os erros dos impérios que se levantavam contra ele. O Apocalipse é fundamentalmente um livro de louvor, porque só por meio do louvor podemos conhecer o Deus real que se distingue de todos os falsos deuses. Nesse sentido, podemos ir um pouco mais longe e afirmar que a verdadeira teologia é sempre um ato de adoração, porque é só quando conhecemos o autêntico Criador que, por comparação, detectamos as marcas de quem tenta uma versão ilegal da criação. Toda a genuína adoração é um distanciamento consciente de suas falsas versões. Os judeus sabiam bem isto no primeiro mandamento, que, começando pela negativa — "Não terás outros deuses diante de mim" (Êxodo 20.3) —, pressupunha o conhecimento de qual deles é o certo. E nós, os cristãos evangélicos, seguimos esse ritmo hebraico.

Logo, os líderes espirituais só podem liderar espiritualmente quando possuem uma consciência dos falsos deuses à sua volta. E como o pastor Timothy Keller explica com talento em *Counterfeit gods*,[2] os piores ídolos não são desejos de praticar o mal, mas a nossa paixão por

---

[2] *Deuses falsos: As promessas vazias do dinheiro, sexo e poder, e a única esperança que realmente importa* (São Paulo: Vida Nova, 2018).
Apesar de Keller ser gentil, não poupa os leitores dos solavancos de uma mensagem de conversão. "Um ídolo é tudo aquilo para o qual olhamos e dizemos: se eu tiver aquilo sentirei que minha vida tem sentido." Ou ainda: "esta desilusão cósmica percorre toda a nossa vida, mas sentimo-la, de modo especial, nas coisas em que pusemos todas as nossas esperanças". O pior tipo de maldição pode ser aquele que se apaixona pelo que é bom na criação a ponto de deixar de precisar do Criador.

coisas boas que se torna a razão última da nossa vida. Ou, usando a linguagem do New City Catechism, criado pela Igreja Presbiteriana Redeemer em Nova Iorque, "idolatria é crer nas coisas criadas em vez do Criador".[3] Voltando a James K. A. Smith: "Os pastores precisam ser etnógrafos do dia a dia, ajudando os paroquianos a ver o seu próprio ambiente como formador e, demasiadas vezes, como deformador". Se tivermos pastores que são cegos aos ídolos de sua cultura, teremos pastores que entregam suas ovelhas aos lobos.

Esta volta toda para regressar ao ponto em que estávamos, da conversa com os alunos do Seminário Martin Bucer. Perguntei-lhes assim: "Se tivessem de dizer qual o maior ídolo dos brasileiros, que ídolo seria esse?". E não tive de esperar muito para ouvir um aluno, o Samir Mesquita, acertar na mosca: "a alegria".

A ansiedade portuguesa diante da alegria

É possível a alegria ser um ídolo? É possível uma coisa boa como a alegria tornar-se uma coisa má? Claro que sim. Um duplo "claro que sim"! O Diabo especializa-se precisamente nessa suave degeneração das bênçãos que Deus nos dá. O talento de Satanás não é criar coisas más

---

[3] *Catecismo Nova Cidade: A verdade de Deus para nossos corações e mentes* (São José dos Campos: Fiel, 2018).

A família Cavaco usa esse catecismo desde 2012. Um catecismo é um segundo abecedário — por exemplo, o nosso Caleb, o mais novo, não sabe o que é existir sem recitar ao longo de uma semana e durante o ano inteiro 52 perguntas e 52 respostas. Um catecismo dá palavras ao nosso universo e caminhos à nossa vida.

em si. Satanás não tem poder para criar nada. Satanás apenas tem poder para pegar as coisas criadas e adulterá-las de tal modo que, de frutos saborosos, elas passam a frutos podres.

A natureza do pecado não é essencialmente criativa, mas essencialmente degenerativa. Na Bíblia, o único que cria é Deus. Satanás é o especialista em macaquear criação. Mas quem macaqueia criação, não cria — quando muito, finge que cria. E a idolatria é um fingir que se cria, através de alguma coisa que não é Deus a tentar passar por ele.

Por isso mesmo, o truque da idolatria não é parecer coisa má, mas parecer coisa boa. Logo, não é de estranhar que o mal que há em nós, perversamente ajudado pelo Diabo, seja capaz de tornar uma coisa boa como a alegria numa coisa má — num verdadeiro ídolo. A existência do povo brasileiro é a prova provada de que uma bênção como a alegria pode ser tornada em maldição. O Brasil está tão fascinado pela alegria que esquece que ela é uma dádiva de Deus, e não o próprio Deus. De tão obcecado pela alegria, o Brasil faz da dádiva o doador, outra definição possível para a idolatria.

Que a alegria é boa, ninguém deve duvidar. Mas quando o brasileiro vive para ser feliz, ele obriga Deus a reduzir-se a uma das bênçãos que de Deus vem. Acontece que Deus é sempre maior que as bênçãos que dá. As bênçãos são o que vem de Deus. Não é Deus que vem das bênçãos. Viver obcecado pela alegria é esperar que da criação nasça um Criador. Como a Bíblia diz (em Isaías 44, a partir do verso 12), é pegar um pedaço de madeira e esculpi-lo com todo o rigor para que se chegue a um ponto em que o resultado seja um deus. Pode haver muito talento na navalha, mas não dá para sacar o Deus verdadeiro de um pedaço de sua criação.

Entender que um dos grandes ídolos da cultura brasileira é a alegria também é mais fácil tendo em conta que na Europa tudo é diferente. Nessa mesma conversa com os alunos do Seminário Martin Bucer, sugeri que um dos grandes ídolos de Portugal, por contraste com o Brasil, é o da consciência. Nesse sentido, a consciência é um ídolo que pode se encontrado um pouco por toda a Europa. Matthew Arnold diz em *Culture and Anarchy*[4] que a ideia principal da cultura grega é a espontaneidade da consciência (e daí o herói grego), ao passo que a ideia principal da cultura hebraica é o rigor da consciência (daí o santo judeu). De uma forma ou de outra, a Europa volta-se para dentro de si mesma, enquanto as outras culturas saem para curtir a vida.

No caso português, essa idolatria da consciência vê-se na conclusão que é tirada de que a pessoa virtuosa é a que tem noção da realidade à sua volta. Quem não tem consciência da realidade, está numa posição de infância moral e não merece grande confiança. Logo, a seriedade pesa mais do que a alegria, mesmo que as conclusões a que se chega com a nossa seriedade possam ser pouco sérias. Noutro sentido, as pessoas alegres são olhadas com desconfiança porque, provavelmente, ainda não atingiram a devida consciência da realidade à sua volta. Gosto de ilustrar isso com uma pequena história pessoal.

---

[4] Não conheço esse texto na íntegra, mas tenho certeza de que é bom.

Há uns anos, quando estávamos a abrir uma igreja nova em São Domingos de Benfica, um bairro de Lisboa, tínhamos uma vizinha no andar de cima do pequeno salão onde nos reuníamos. Como podem imaginar, o equilíbrio entre o som provocado pelo cântico dos hinos e a sala de estar da Dona Alice (nome fictício) era delicado. Nossa liturgia, à falta de isolamento acústico eficaz, entrava pela casa dos vizinhos, mesmo que eles não quisessem ir assistir ao culto. O resultado é que a nossa relação se complicou. Num dos momentos de diálogo mais tensos, a Dona Alice disparou que a nossa fé não deveria ser séria tendo em conta "que as pessoas saem da igreja a rir". Para a Dona Alice, enquanto símbolo do Portugal popular católico, sair da igreja a rir era uma blasfêmia — religião não combina com riso. Numa versão mais secularizada, poderíamos dizer que, para os portugueses, ter noção da realidade implica sabermos que ela não está para alegrias. O mundo é fundamentalmente trágico (e aqui recordamo-nos do espanhol Miguel de Unamuno e seu *Do sentimento trágico da vida*[5]).

O que faz então uma cultura que se convence de que a existência é essencialmente trágica? Uma cultura que se convence de que a existência é essencialmente trágica tende a sobrevalorizar traços de caráter como a introspecção, a prudência, a desconfiança, a suspeita. Qualquer gesto que pareça mais exuberante sugere inconsciência,

---

[5] *Do sentimento trágico da vida* (São Paulo: Hedra, 2013).
Para os portugueses, viver suscita menos a transformação de quem vive, e mais o sentimento de que tudo é trágico. O livro do espanhol Unamuno é obrigatório para compreender esse tipo de temperamentos diferentes.

falta da devida adequação à realidade. Se a essa equação europeia adicionarmos valores especificamente portugueses, chegaremos à saudade e, na pior das hipóteses, ao fatalismo. Portugal não é um país fatalista porque tem uma paixão por finais infelizes. Portugal é um país fatalista porque sinceramente crê que finais felizes são finais fingidos. O final feliz é um sobrenatural para o qual Portugal não tem o luxo da fé.

Nos últimos anos, com a imigração brasileira em Portugal, o choque cultural vê-se em todo o lado, sobretudo na questão religiosa. As igrejas evangélicas são vistas como um exotismo típico dos brasileiros, pessoas suficientemente ingênuas a ponto de acreditarem ainda tão inocentemente na religião, e numa religião evangélica em particular ainda mais delirante porque não é taciturna, como todos os portugueses acham que as religiões devem ser, sejam eles religiosos ou não. O mesmo se aplica, com outros graus, aos norte-americanos.

O cristianismo evangélico é para a Europa uma espécie de resistência ao mundo contemporâneo, uma fé com características tão fora-deste-mundo que, para ser aceita, a pessoa tem mesmo de deixar de querer fazer parte dele. Para os portugueses, os brasileiros podem dar-se ao luxo de serem evangélicos porque ainda estão numa fase adolescente em que não perceberam o mundo como ele realmente é. Os brasileiros podem ser alegres, pensam os portugueses, porque a alegria só dura enquanto não se caiu na real (para usar uma expressão das telenovelas brasileiras). Mais dia menos dia, vai acabar.

A verdade é que a minha viagem ao Brasil fez-me entender que se, sem dúvida, o ídolo brasileiro é o da alegria, o fatalismo português é um ídolo tão ou mais vesgo no modo como olha para o universo. Na idealização portuguesa da consciência, nós fazemos daquilo que é supostamente trágico uma razão para não vermos mais além. Dizendo de um outro modo mais bruto: nós, portugueses, temos um medo sincero da alegria. E a minha tese é que o medo sincero que temos da alegria tem a ver com a suspeita que também nutrimos, ainda que inconfessada, de que se a alegria nos contagiar, a nossa vida mudará. E nós portugueses, como eu já disse antes, fugimos da mudança porque a mudança parece uma perda da nossa identidade. Para uma cultura que sobrevaloriza a consciência, a mudança é um passo em direção ao absurdo: a pessoa sabe lá em que estado é que vai regressar da alegria?

A ironia é que uma parte do que torna hoje o cristianismo arriscado é precisamente essa ligação com a alegria. O cristianismo, ao oferecer alegria a quem crê, parece mandar para a lixeira os últimos séculos de árdua conquista de consciência. A Europa pensa que valores como o pensamento científico, o Estado moderno e o direito à cidadania fundado no princípio do indivíduo só se atingiram porque tiveram de ser arrancados das mãos da religião. Por isso mesmo, a Europa, tão esclarecida em sua modernidade, entra em crises de negação sempre que o presente lhe dá resultados opostos às suas previsões secularizadas. Mais ainda. A Europa, sempre que invadida por imigrantes que, como brasileiros ou outros povos do mundo não europeu, lhe trazem religião de volta, julga que corre o risco de voltar à escuridão da Idade Média, controlada tiranicamente pela Inquisição.

Acontece que a realidade é mais complicada do que a simplificação laica que a Europa aprecia.

Uma alergia crescente chamada medo

Durante a semana que passei no Seminário Martin Bucer, em São José dos Campos, reparei que tinha uma pequena alergia a manifestar-se na pele, junto ao pulso esquerdo. Um dia depois tinha alastrado um pouco, à região do cotovelo. No outro, já quase chegava ao ombro e tinha chegado também ao braço direito. A Marilene Ferreira deu-me um creme e um comprimido que comecei a tomar, até o fim da semana. Isso aconteceu na segunda-feira. De fato, na sexta, quando me preparava para ir para São Paulo, a alergia tinha recuado. Pensei: está resolvido.

Num desses dias, apareceu uma cobra junto ao corredor dos quartos onde os homens dormiam. Não a vi na ocasião, só mais tarde fotografada pelo telemóvel (os brasileiros chamam de "celular") do caseiro, o irmão Edvânio. Ele tentava ver que tipo de cobra era. Numa pesquisa na internet, a aparência dela combinava com uma qualquer das mais venenosas e perigosas. Ora, a facilidade com que um brasileiro diz que matou uma cobra que pode ser das mais mortíferas impressiona sempre um português. Fiquei a saber que, enquanto dormia, podiam rastejar criaturas que com uma picada me enviariam de volta ao Criador. A partir desse dia passei a olhar sempre para baixo da cama antes de me deitar, e para dentro dela, para que não fosse ter com uma serpente no quente dos meus lençóis.

O Brasil é um país onde a natureza te pode matar de um modo mais constante e criativo. Não nos deve admirar que a crença em Deus se torne, consequentemente, mais natural. Se levamos uma vida muito protegida da possibilidade de a natureza dar cabo de nós, vamos passar a pensar que não há assim tanto do qual nos devamos proteger. Pessoas que se protegem precisam mais de ajuda. Deus é mais útil para quem pode ser picado pela natureza. Em contrapartida, a ecologia desses lugares também se torna menos fantasiosa. O planeta é fantástico, mas é melhor ter cuidado com ele.

Gavin de Becker é um professor na Universidade de Califórnia, Los Angeles, e publicou em 1997 um livro chamado *The Gift of Fear: Survival Signals that Protect Us from Violence*,[6] partindo do inusitado princípio de que, mesmo com tudo o que temos vindo ao longo do tempo a compreender acerca das patologias que podem tornar perigosos os seres humanos, não há melhor preparação psicológica do que confiar em nosso instinto do medo. Uma de suas teses é a de que, se julgamos que os cães são animais que nos ensinam muito a partir do faro que têm para situações que os vão pôr em risco, então nós temos ainda mais a ensiná-los. Se o mundo pode ser perigoso, nós somos bichos que sabem reagir melhor a isso do que julgamos.

---

[6] *Virtudes do medo: Sinais de alerta que nos protegem da violência* (Rio de Janeiro: Rocco, 1999).

Assim muito resumidamente, diria que a Bíblia ajuda-nos a entender que o medo é mau, quando nos impede de confiar em Deus, e que o medo é bom, quando nos impede de confiar em nós (daí o temor a Deus ser uma bênção).

O conselho de Becker é que nossa sensibilidade ao medo não tem de ser uma escravidão, mas, pelo contrário, algo com poder até para nos tranquilizar — não estamos assim tão naturalmente desprotegidos para fazermos frente aos perigos deste planeta. O reverso disso é que, ao mesmo tempo que o medo nos ajuda a reagir contra os riscos, também abrigamos dentro de nós instinto suficiente para nos tornarmos a fonte de uma violência que julgaríamos não ser capazes de praticar. Separar a humanidade do crime é um erro, porque o crime vem sempre da humanidade. Nesse sentido, as cobras não quebram a lei ao matar — essa será a lei delas. É conosco que a história é outra.

Precisar sentir para realmente ser

Já disse que não sei viver sem pensar na Flannery O'Connor. Amo-a com um amor especial também, creio, porque ela está tão perto de mim em termos de convicções religiosas como, ao mesmo tempo, imperdoavelmente distante. Eu sou um protestante reformado, e ela era uma católica romana. As cartas que escreveu, compiladas em *The Habit Of Being*, formam uma espécie de leitura devocional para mim. Ora, quero partilhar duas frases dela que servem para tirar com uma mão e dar com outra.

Em 8 de julho de 1956, Flannery O'Connor escrevia ao seu amigo William Sessions, dizendo-lhe: "Uma vez que foste protestante, podes sentir que precisas sentir que acreditas; talvez uma crença que sente não é sempre uma ilusão, mas eu imagino-a assim a maior parte do tempo; mas consigo compreender o sentimento da dor ao ir à Comunhão e parece-me um sentimento mais crível do que a alegria". Não posso discordar mais da minha querida Flannery, mas não posso deixar de pensar que ela resumiu algo que também é fundamental nas diferenças sentimentais entre católicos e protestantes.

Os protestantes precisam sentir que acreditam porque a justificação pela fé, a doutrina que os tirou de Roma, pede necessariamente uma convicção subjetiva e desavergonhada de que a fé está mesmo dentro deles. Um protestante que duvida de que foi mesmo salvo por Jesus de uma vez por todas é alguém que, dormindo na capital italiana, sonha estar na Alemanha — precisa ser acordado. Quando os protestantes começam a ter dúvidas, a Igreja Católica Romana é um destino provável, porque aí a certeza da salvação não somente não tem enquadramento teológico, como é um sentimento olhado com a desconfiança máxima: quem é que a pessoa julga que é para confiar em sua alegria subjetiva?

A solução romana é a dor e o esforço, sentimentos consequentes de não se prolongar a exuberância bíblica da certeza da salvação. Também é isso que separa uma cristandade europeia antiga e angustiada, repelida pelo protestantismo evangélico dos países novos, como o Brasil e os Estados Unidos, tão inocentes em exprimir a fé principalmente através da alegria. Viver a religião com sofrimento parece mais de acordo com aquilo que o mundo, afinal, é na maior parte do tempo.

Interessa, no entanto, ler a Flannery a apresentar um quadro mais esperançoso e bíblico agora. Nesse mesmo ano de 1956, numa outra carta escrita a uma amiga identificada apenas como A., O'Connor escreve: "Parece-me que todas as boas histórias são acerca de conversão, acerca de uma mudança no caráter. [...] A ação da graça muda uma personagem. [...] Por isso, tudo o que podes fazer com a graça numa história é mostrar que ela está a mudar a personagem. [...] Parte da dificuldade disso tudo é que escrevemos para leitores que não sabem o que a graça é quando estão diante dela. Todas as minhas histórias são acerca da ação da graça numa personagem que não está muito a fim de suportá-la, no entanto a maior parte das pessoas pensa nessas histórias como duras, sem esperança, brutais etc.".

A Flannery sabia que uma época que deixa de encontrar o mal dentro de si perde olhos para reconhecer a presença da graça, embaralhando completamente o modo como opera esse agente inesperado, agora feito invisível. A maior parte das pessoas que lê a Flannery sublinha a aparente violência das circunstâncias envolvidas na mudança de uma personagem, não entendendo que a maior violência é o que a personagem é antes de começar a mudar. Ou seja, os leitores leem a Flannery e dizem: que histórias duras. Mas os leitores deveriam ler a Flannery e entender que duras são as personagens, e que a história, sendo violenta, é cheia de graça porque o bem está a dar luta ao mal.

Nesse sentido, e apesar do desabafo anterior, a literatura da Flannery O'Connor é muito mais protestante do que parece e, nesse sentido, ajuda-nos a entender que, num primeiro momento, a pessoa não se assumir como má é viver presa no medo de mudar, e, num segundo momento, ter medo da graça divina é lidar com a alegria com grande dificuldade. Quer a graça, quer a alegria, seguem nas Escrituras o mesmo modelo que Jesus seguiu quando se fez carne: é, mas frequentemente parece que não é. "Veio para o que era seu, e os seus não o receberam" (João 1.11). Era inteiramente homem e inteiramente Deus, e ainda assim foi acusado de ser cúmplice do Diabo. Mandava ajudar os pobres às escondidas e jejuar com cara de festa.

Fazer o bem desde que pareça um acidente

Já no tempo de Jesus, os judeus que queriam ser considerados mais piedosos jejuavam nos meses secos duas vezes por semana, nem bebendo água — uma coisa que não faz bem à saúde de ninguém. Essa prática era vista como um mérito da pessoa que a praticava. O jejum implicava não comer e não beber, mas também não usar óleo na pele, o que costumava ser feito para evitar a desidratação natural numa circunstância e numa localização daquelas. Digamos que se sacavam muitos pontos no jejum para quem se dispusesse participar num campeonato de bondade.

E é precisamente esse campeonato da bondade que Jesus impede aos seus discípulos no Sermão do Monte, quando os ensina acerca do jejum (Mateus 6.16-18). Tendo em conta que pela terceira e última vez usa a frase: "Em verdade vos digo que eles já receberam a recompensa", Cristo impede aqueles que o seguem de quererem ganhar o prêmio do reconhecimento público no campeonato da bondade. Talvez possamos colocar isso de uma forma curta e grossa: quem quiser ser considerado bom pelos outros, não vai ganhar nada com o Mestre Jesus.

O negócio com Jesus é outro, e corta pela raiz qualquer ambição no campeonato da bondade. Se, por exemplo, no caso do jejum o truque era aparecer o mais desfigurado possível, eventualmente com emagrecimento e restos de cinza sobre a cabeça, como sinal de humilhação privada autoinfligida, Cristo diz sem rodeios: "Tu, porém, quando jejuares, unge a cabeça e lava o rosto". Se vais ganhar pontos na consideração dos outros por dares a entender uma devoção esforçada, então aparece de cara lavada e arranjado como deve ser. Apruma-te, beato de araque!

Se o campeonato da bondade é feito em jogos de aparências, o verdadeiro cristão não se deve importar em ser desclassificado. Mais ainda: devemos correr o risco de nos desclassificarem no campeonato da bondade fazendo o que é certo parecendo que fazemos o errado. Se os outros se querem mostrar heróis, não tenhamos medo de parecer os bandidos. De certo modo, podemos dizer que Jesus está a ensinar-nos a suspeitar mais dos bons do que dos maus. Afinal, não há maior desilusão do que uma traição, de vir o mal de alguém que julgávamos estar a fazer o bem. É preferível sermos surpreendidos por quem julgávamos estar a fazer o mal e, contra todas as expectativas, nos mostra que estava a fazer o bem. O cidadão do reino de Jesus aprende alguma coisa com os mafiosos, neste caso, fazendo o que é certo, desde que pareça um acidente (*"but make it look like an accident"*).

Temos de examinar por que é difícil o que Jesus nos pede, de fazer o que é certo (neste caso, jejuar) sem que os outros tenham de saber. A verdade é que muitos de nós, no outro extremo, estamos entusiasmados a fazer o que é certo desde que nos vejam. E isso não revela necessariamente um problema com os outros, mas um problema com nós mesmos. O jejum testa-nos na nossa relação com nós mesmos.

Vale a pena perguntar: por que dependemos tanto da aprovação dos outros para termos energia para fazer o que é certo? Apesar de Jesus não nos ensinar necessariamente a esconder dos outros o bem que fazemos (até porque antes, em Mateus 5.16, tinha dito que a nossa luz deveria ser vista pelos outros, para que louvassem a Deus), a verdade é que também nos diz que fazer o bem para ser visto pelos outros é o seu próprio prêmio — um prêmio que não tem pernas para andar na eternidade com Deus. Indo um pouco mais longe, podemos dizer que depender dos outros para fazer o que é certo é algo que nos vai levar ao inferno, com um triste prêmio de consolação que é termos o reconhecimento deles nesta vida. Se vivemos aqui a agradar os outros, já temos o paraíso que desejamos — bom proveito para nós!

Jesus está a ser radical e quer-nos dentro dessa sua radicalidade que é fazermos o que é certo a partir de Deus e de mais ninguém. Isso não é contra os outros, mas é certamente contra os outros ocuparem o lugar de Deus, ao serem as pessoas que queremos que nos aprovem. Jesus quer livrar-nos de tornarmos os outros divinos quando o fato de fazermos o que é certo sem que ninguém veja não nos basta.

O jejum a que Jesus nos chama é uma desintoxicação para quando o nosso corpo se habituou a encher a barriga da aprovação dos outros. Para que Deus se torne o único de quem dependemos, precisamos de uma dieta que, jejuando, come apenas da palavra dele. Não comer ajuda-nos a não precisar de outro alimento senão daquele que se fez o pão da vida, Jesus (João 6.48) — não comemos para, na verdade, comer mais.

Nesta vida, aquilo que realmente é, só realmente pode ser porque não foge do risco de poder ser entendido como o seu oposto. Do mesmo modo como durante este capítulo falamos da idolatria, que é uma esperteza com que o Diabo se disfarça de anjo, para nos levar a coisas más através de ações aparentemente boas, também é preciso resgatar a graça com que Jesus nos alcança, como uma resposta no mesmo nível e com eficácia superior: a alegria do pecador salvo é tanto mais visível quanto mais o mal dele, estando à vista de todos, é transformado em arrependimento. O Diabo deixa-nos piores com coisas aparentemente boas, e Deus torna-nos bons com coisas aparentemente más. A vida precisa ser vista com muita atenção mesmo.

*Nesse dia, a minha sogra teve mais um
"ataque". Mais forte e assustador do que
todos os outros. Levei-a a uma igreja
protestante que ficava perto da casa dela.
Quando entrei na igreja, amparando
a minha sogra possuída pelo espírito e
na companhia do pastor, o ar tornou-se
irrespirável. As minhas pernas começaram
a tremer e senti-me quase a desmaiar.
O pastor, como que enviado por Deus, ou
por algo grandioso e inexplicável, convidou-
-me a aceitar Jesus na minha vida. Caí
de joelhos. Mas o demônio foi mais forte:
levantei-me de seguida e disse-lhe que
ainda não estava preparado. Não consegui
ficar nem mais um minuto naquela
pequena e humilde igreja. Deixei a minha
sogra com o pastor e fiquei à espera cá fora,
junto à vedação. Meia hora depois ela saiu,
aparentando estar mais em paz. Contudo, o
pastor mostrava-se inquieto. Veio ter comigo
e confidenciou-me que já tinha cometido
crimes noutros estados brasileiros, mas que
hoje era um servo de Deus, que tinha uma
vida nova. Comecei a sentir-me ansioso,
tinha de sair de ao pé da presença daquele
homem que parecia saber que eu estava
prestes a cometer um crime horrível e que
tentava dissuadir-me.*

Luís Miguel Militão Guerreiro,
Morrer na Praia do Futuro

7

A bênção de cristãos com as narinas cheias do cheiro de enxofre

Depois de cinco dias passados em São José dos Campos, viajei para São Paulo. Não sem alguma ironia, uma das estradas que usamos chamava-se Ayrton Senna. Não deixa de ser um pouco sinistro usar o nome de alguém que morreu numa estrada para nomear outra. Fui levado por uma carona do irmão Bené, que me acompanhou numa hora de conversa maioritariamente teológica. Como de há uns anos para cá parece ser a regra no que diz respeito a discussões entre cristãos evangélicos, o assunto era calvinismo. Em casa da família Reggiani, que me acolheu em São Paulo, o assunto continuou. A família Reggiani é constituída pelo Valter, marido e pastor da Igreja Batista

Reformada de São Paulo, e Lenice, sua esposa. Fiquei num apartamento bonito e moderno.

Passei um sábado e um domingo com a Igreja Batista Reformada de São Paulo. Foram dois dias intensos e preenchidos. Não fui para o Brasil passar férias. Logo às nove e meia do sábado, já estava com a igreja num breve pequeno-almoço (que os brasileiros conhecem como "café da manhã") seguido de um período de palestra e oportunidade para perguntas e respostas. No Brasil pode chamar-se "café teológico" a um evento desse gênero. Só uma cultura muito menos cínica do que a europeia consegue usar um nome desses sem receios. Creio que se fosse em Portugal o "café" ainda passava, mas o "teológico" levaria pancada. No ambiente intelectual europeu, a teologia parece um luxo. Como na Europa é suposto não acreditar assim tanto nas propriedades da teologia, um café teológico seria algo parecido com um chá com unicórnios.

Mais uma vez, o Brasil leva vantagem. No Brasil a teologia não tem de ser palavrão. A juventude acredita em teologia e não a tem como um cemitério. Em Portugal as figuras religiosas mais populares fazem carreira de desacreditar a teologia, como se ela fosse o refúgio dos fariseus. Claro que as figuras religiosas mais populares, que em Portugal fazem carreira de desacreditar a teologia, não entendem que, com isso, praticam uma das formas mais insuportáveis de farisaísmo que é a de acharem que atingiram um estado de perfeição tal que já não precisam de nada além de si mesmos. Só um rematado presunçoso julgará que a vida que tem já não pode aprender nada de substancial com a teologia. Ou seja, a teologia só pode ser tornada um mal por quem se considera acima dela, qualitativamente superior — esse era precisamente o problema dos fariseus do tempo de Jesus.

Os fariseus não eram hipócritas porque tinham a teologia numa importância acima deles. Pelo contrário, os fariseus eram hipócritas porque tinham a teologia dominada por sua prática seletiva, convictos de que ela servia para confirmar a qualidade que eles próprios julgavam possuir. Por isso mesmo Jesus diz no Sermão do Monte que o segredo não é desvalorizar os fariseus, mas viver com um valor superior ao deles. O problema não é os fariseus levarem a lei, ou a teologia, demasiado a sério; o problema é não a levarem a sério. É daí que vem o "ouviste o que vos foi dito; eu, porém, vos digo" de Cristo. Jesus não está a abandonar a velha teologia, mas a cumpri-la. Vale a pena insistir um pouco mais neste ponto.

Temer a teologia é temer a vida

Há uma dicotomia infeliz que, em grande parte, teima em persistir dentro de muitos cristãos evangélicos, demasiado ansiosos para fugirem do vírus do farisaísmo. Essa dicotomia separa letra do espírito, e inspira-se numa leitura apressada do texto da Segunda Carta de Paulo aos Coríntios, no capítulo 3, verso 6, que diz: "porque a letra mata, mas o espírito vivifica". Não sendo o meu propósito pregar-vos o texto neste livro, não resisto a deixar que o convívio com o contexto enxote esse tipo de leitura preguiçosa.

Nessa carta de Paulo, um dos grandes assuntos é a existência de supostos novos superapóstolos que diziam que Paulo estava ultrapassado. Não é exagerado colocar essa oposição entre Paulo e seus acusadores nos seguintes termos: estes últimos apresentavam o seu ministério praticamente em termos de superpoderes, como se o verdadeiro apostolado fosse uma capacidade especial. Ora, Paulo faz nessa carta uma viagem que parece uma montanha-russa para dizer que, mesmo no campo das capacidades especiais, seus adversários ainda tinham muita sopinha para comer para se poderem comparar com ele. Se alguém julgava que chegava à comunidade cristã do primeiro século para despachar Paulo assim sem mais nem menos, estava muito enganado.

No capítulo 6 da Segunda Carta aos Coríntios, isso é ilustrado no currículo inultrapassável de sofrimentos pelo qual Paulo tinha passado, e, nos capítulos 11 e 12, o mesmo vem em dose renovada, com menção ao topo dos topos, em termos de experiências espirituais: o arrebatamento aos céus, fosse ele em espírito ou corpo (12.2). A ideia era basicamente esta: mesmo que a questão fosse colocada em termos de capacidades ou experiências pessoais como razão para alguém ser apóstolo ou superapóstolo, ninguém batia Paulo.

Nesse sentido, a "letra" do verso 6 do capítulo 3 não pode ser dissociada daquilo que Paulo estava a rejeitar, isto é, uma interpretação da fé completamente centrada no indivíduo e naquilo de que ele é capaz. A "letra" era para os legalistas o seu superpoder, do mesmo modo que os novos apóstolos tentariam demonstrar os seus poderes espirituais especiais superiores aos de Paulo. No caso dos legalistas, eles não são pessoas que respeitam a lei de Deus, mas pessoas que a tornam pequena na medida dos próprios interesses. O legalista domina astutamente a lei, em vez de se deixar dominar por ela. Atualizando, o legalista ou o superapóstolo é um cristão que domina a parte do cristianismo que lhe agrada, impedindo que seja o cristianismo a dominar a ele. A "letra" é o domínio que lhe é conveniente. A "letra" é o suposto superpoder do suposto superapóstolo. A "letra" é a suposta "justiça" do fariseu. A "letra" é o domínio que tento ter sobre a minha fé com base nas minhas capacidades ou comportamentos especiais.

É a esses a quem Paulo tem de lembrar que esse tipo de seleção interesseira da lei, essa "letra", é mortal, porque é uma letra que dispensa seu autor, o próprio Deus, que se revela através do Espírito Santo nos escritores da revelação. Devemos compreender isto de uma vez por todas: o legalista, a pessoa centrada na "letra", é alguém que faz de uma escolha seletiva da lei de Deus um modo de afirmar a si mesmo, e não um modo de afirmar o autor da lei que é Deus. O futuro do legalista, ou de qualquer pessoa que age seletivamente com a fé, é a morte, porque sem Deus não temos vida. Daí a letra matar e o espírito dar vida.

Por tudo isso, é possível regressar ao já mencionado Sermão do Monte e recordar as palavras de Jesus em Mateus 5.17-20:

> Não penseis que vim revogar a Lei ou os Profetas; não vim para revogar, vim para cumprir. Porque em verdade vos digo: até que o céu e a terra passem, nem um i ou um til jamais passará da Lei, até que tudo se cumpra. Aquele, pois, que violar um destes mandamentos, posto que dos menores, e assim ensinar aos homens, será considerado mínimo no reino dos céus; aquele, porém, que

os observar e ensinar, esse será considerado grande no reino dos céus. Porque vos digo que, se a vossa justiça não exceder em muito a dos escribas e fariseus, jamais entrareis no reino dos céus.

Assim muito rapidamente, há aqui três valores que dissipam a dicotomia erradamente construída a partir de uma lei que supostamente corresponde a uma teoria, e um espírito que corresponde a uma prática. Não é nada disso que está em causa.

Num primeiro valor, compreendemos com base no que Jesus diz nesse excerto do Sermão do Monte que o seu reino (o grande assunto do Sermão do Monte) constrói-se como cumprimento do passado, e não como rejeição dele. Simplificando muito, diríamos: qualquer expressão cristã que desdenhar o valor da tradição veterotestamentária, desdenha o futuro do próprio reino de Deus.

Num segundo valor, Jesus liga o cumprimento de regras éticas que são independentes de nós (ou a lei, se preferirmos) à experiência completa do seu reino. Simplificando muito, diríamos: qualquer expressão cristã que valorize a experiência subjetiva acima de verdades morais objetivas é uma obliteração, ainda que inconsciente, da vivência plena do reino de Deus.

Num terceiro e último valor, Jesus reconhece o empenho nas pessoas que falham na compreensão fundamental da lei, tornando-se legalistas, como os fariseus. Simplificando muito, diríamos: qualquer expressão cristã que não procure um empenho maior do que o empregado por aqueles que a rejeitam, perde a oportunidade de experimentar o reino de Deus na intensidade desejável por Jesus.

Nessa leitura apressada, que desdenha a letra que pertence aos maus e o espírito que pertence aos bons, muitos cristãos caem em, pelo menos, dois erros.

Em primeiro lugar, nutrem, ainda que sem querer, uma cultura que olha com suspeição para toda a leitura e escrita que não estejam estritamente ligadas à fé. Nesse sentido, muitos cristãos evangélicos alimentam um anti-intelectualismo que, ironicamente, nos torna vulneráveis a qualquer coisa que não aprendemos a ler. Debaixo da ideia certa de valorizar a leitura da Bíblia acima de qualquer outra, frequentemente colocamos nela tudo o que lá não está porque não sabemos ler o resto. Dizendo de modo brusco: não aprendemos a escrever porque temos medo de ler. Desdenhamos a tradição milenar de escritos cristãos e de outros, como se o passado fosse desligado do reino futuro. Nesse erro mais facilmente caem aqueles tentados por atitudes mais fundamentalistas (e, aqui, tento usar o termo "fundamentalismo" com algum cuidado histórico).

Em segundo lugar, e talvez no outro extremo, muitos cristãos evangélicos alimentam uma tendência antidogmática, como se o reconhecimento corajoso e formal de verdades absolutas fosse contrário ao plano de Jesus para o seu reino. Tomamos a teologia e o estudo sistemático das Escrituras como um terreno que diminui a liberdade do Espírito, como se a revelação escrita fixa na Bíblia não fosse trabalho da liberdade do Espírito Santo. Jesus levou a teologia a sério a ponto de discuti-la logo aos doze anos com os mestres em Jerusalém e ao longo de toda a sua vida, mas nós consideramo-nos mais espirituais que o próprio Cristo, como se ele desperdiçasse com ninharias um tempo que nós não temos. Empobrecemos nossa coragem teológica andando a reboque das tendências externas à Igreja, disfarçando nosso medo pós-moderno de humildade epistemológica. A este podemos chamar o erro em que mais facilmente caem os relativistas e suas diversas autodenominadas pós-teologias.

Em terceiro lugar, e à maneira de sugestão de superação do impasse, quero resumir uma proposta pessoal. E, como podem antecipar, a solução será sempre Cristo. Claro que reconheço o erro que tão bem o apóstolo Tiago apontou, de sermos apenas ouvintes da palavra e não cumpridores. Para quem, como eu, vem de um contexto calvinista, não se deve negar o elevado risco de policiamento teológico constante, desgarrado de uma experiência humilde e concreta de Jesus em nossa vida. Conheço bem a atração do legalismo porque o meu coração é tendencialmente legalista. Mas também sei que o relativista cai no mesmo erro, apenas usando a outra face da moeda.

Quer o legalista quer o relativista concentram sua fé em si mesmos: o primeiro, no que faz; o segundo, no que não precisa fazer. O legalista faz para ser bom; o relativista, como já é bom, não precisa fazer. Não vos falo nem do legalista nem do relativista, mas da palavra viva que é Jesus. Cristo é a salvação do legalista e do relativista, e ele manda-nos fazer um melhor trabalho do que qualquer um deles.

O cristianismo é uma fé da palavra. É da palavra que tudo acontece. Nem é justo dizer que é uma fé de palavra e ação porque só pode haver ação se houver palavra. Gênesis 1 e João 1 explicam-nos que é a palavra que cria tudo. Vivemos numa época que diz que as palavras são aquilo que os homens quiserem fazer delas, mas nós sabemos que, na verdade, os homens é que são feitos pela palavra.

Numa fé assim não dá para desvalorizar leitura e escrita, porque a cada vez que alguém lê ou escreve está a manusear a célula fundamental de tudo o que existe: a palavra. A palavra é importante a ponto de, tendo criado tudo, se ter tornado, ela mesma, criatura em Jesus Cristo. A palavra é o mais importante porque Cristo, sendo a palavra feita pessoa, é o mais importante. O sentido da nossa existência é caminharmos em direção ao dia em que a palavra, em tudo o que nela há de físico, nos mostrará o seu rosto. A palavra é uma pessoa tão boa que merece que a adoremos por toda a eternidade. O Apocalipse descreve a presença dessa palavra junto de nós, Jesus Cristo, com uma potência tal que o sol é uma fraca iluminação comparado com ela (22.4-5). Temos de desprezar a dicotomia que separa a palavra da ação — com Cristo, a segunda é sempre consequência da primeira.

Foi o cristianismo, herdeiro do judaísmo, que valorizou a escrita e a leitura como nenhuma outra religião. Fazendo uma ligação muito direta, deixem-me perguntar: como é possível que pastores e líderes cristãos sejam pessoas de pouca leitura e pouca escrita? Não me interpretem mal. Não estou a dizer que todos temos de nos tornar ratos de biblioteca. Mas, de fato, todos temos de ser leitores capazes porque ser cristão é, basicamente, saber ler. O cristão lê que Cristo, a palavra que encarnou, é Deus. Nesse sentido, a salvação é sempre uma leitura. Não é casual que o judaísmo tomasse a capacidade de um menino saber ler como um início de sua verdadeira capacidade moral. É por isso especialmente chocante que a fé da palavra passe por uma religião que tem medo de suscitar a leitura dos crentes.

Num mundo feito pela palavra de Deus, tudo é texto. O universo é um texto e até nós, como criaturas criadas pela palavra, somos textos. Escrever ou ler é apenas viver. A questão não é aprender a escrever. Escrever já todos escrevemos, mesmo que sem colocarmos coisas no papel. A questão é ganhar consciência do tipo de textos que estamos a escrever. Basta acordar pela manhã e respirar, que esse já é um texto que estamos a encarnar. A questão é escrevermos nossos textos, vivermos nossa vida, numa direção concreta de encontro com a palavra encarnada que é Cristo.

Logo, a teologia, ou a palavra, ou o texto, ou o livro, é vida. Vida. Não há que ter medo de o assumir em cafés teológicos. Menos do que isso, ainda que disfarçado em humildade epistemológica, é que é um verdadeiro chá com unicórnios.

Uma crise aberta pela generosidade brasileira

Imaginem, agora, minha surpresa por encontrar um auditório de cerca de uma centena de pessoas prontas e dispostas para me ouvir falar de teologia. Uma boa parte desses paulistas matutinos sabia quem eu era e veio de propósito (proporcionalmente falando, foi São Paulo a cidade que mais trouxe pessoas que já me conheciam), mas outra nem por isso. Quer uma, quer outra, foram de uma grande generosidade para mim. E esse é um dos aspectos chocantes da minha viagem. Quando somos recebidos de uma forma que não merecemos, entramos numa produtiva crise interna.

A importância dessa viagem ao Brasil é que, em grande parte e por causa do bem que por lá me fizeram, foi agitado aquilo que de mal existe em mim. É sempre assim: o bem luta contra o mal. Não dá para sermos expostos à qualidade de Deus sem que aquilo que é mau em nós não se sinta ameaçado. Essa viagem ao Brasil foi também uma bênção porque chocalhou coisas dentro de mim que nunca tinham sido colocadas a mexer. Quanto a isso, minha tese é bem simples: se vais ser exposto a uma quantidade superior de generosidade, então provavelmente vais ser corrigido e transformado.

A questão é que, ao contrário do que gostamos de dizer acerca de nós próprios, não somos as criaturas abertas à constante mudança como alardeamos. A transformação é dura. A transformação é uma coisa maravilhosa, mas é uma coisa difícil. Logo, quando há a possibilidade de ser transformado, há também a possibilidade de sofrer por conta da dor que acontece quando o bem desaloja o mal. O bem desalojar o mal implica sofrimento. Neste caso, a generosidade brasileira implica colocar em causa a minha falta de generosidade, enquanto português que sou (e com isso não quero sugerir que os portugueses sejam necessariamente menos generosos — eu, pelo menos, sou).

Creio que, no momento em que essa generosidade me alcançava, não me apercebia de seus efeitos mais profundos. Aliás, mais de três anos depois, ainda estou a ter uma perspectiva bem limitada das mudanças que essa viagem permitiu. Mas diria que o coração aberto com que fui ouvido ofereceu um exemplo para que o meu coração se abrisse mais também.

Claro que é fácil dizer que ter o coração tão aberto também pode dar resultado a desastres, como, por exemplo, o Brasil ser um país cheio de charlatães. É vero: os charlatães têm no Brasil carreiras impressionantemente bem-sucedidas. Mas agitar a possibilidade de aparecerem embusteiros como pretexto para continuarmos avarentos é um truque demasiado fácil e com resultados tristes em nossa vida. Muito do que de bom não nos acontece é porque mantemos uma postura de desconfiança que na prática nos impede de vivermos num mundo que, apesar de todas as coisas más, é ainda governado por Deus e por sua boa vontade. A generosidade brasileira parece-me ter uma origem nuclear: Deus existe e eu conto com a chegada dele também através da vida de outras pessoas.

Aquelas pessoas que me ouviam partiam do princípio de que eu seria aquele que se apresentava. É um pastor de Portugal, certo? Por que razão não haveríamos de o querer ouvir? É um pastor de Portugal, certo? Por que razão não há de ele pregar a palavra, se esse é o trabalho dele? É um pastor de Portugal, certo? Por que razão não há de ele abençoar-me? Essa forma de pensar está tão distante da minha que fico envergonhado. A verdade é que vivo em clima constante de desconfiança. E se é certo que há uma santa desconfiança que cada cristão deve praticar, desconfiança essa dirigida contra nós próprios, por outro lado tem de haver uma confiança de que Deus está no rumo das operações a ponto de podermos ouvir outros em boa-fé. Depois, ouvindo-os, certamente devo avaliá-los segundo a palavra de Deus, que é o critério mais firme para apurar a verdade das coisas. Se for o caso da pessoa que eu ouço ser, como dizemos em Portugal, um vendedor da banha da cobra, aí que seja civilizadamente corrida a santo pontapé. Mas se não for, a generosidade do início pode continuar a ser a generosidade do fim.

A generosidade brasileira colocou em crise a desconfiança congênita deste pobre português.

Rock'n'roll e a liberdade das palavras

No início dessa tarde de sábado em São Paulo, consegui encaixar uma pequena apresentação musical na loja Sensorial Discos, na Rua Augusta. Foi uma tarde bem simples e bonita. Não teria acontecido se o Marcelo Perdido, um músico brasileiro que tinha passado um tempo em Portugal e que conheci por intermédio do meu amigo Silas Ferreira, não se tivesse juntado a outro Marcelo, o Costa, da revista *on-line* Scream & Yell, para concretizarem tudo isso. Assim, a apresentação, antes de ser um pequeno concerto, já era um pequeno concerto no sentido de amizade. Eu concertei-me com esses dois Marcelos, e o resultado foi uma breve tarde musical.

A Sensorial Discos é uma loja que vende música, sobretudo em vinil. Tem bar e o ambiente é acolhedor. No balcão estava o Antônio, que foi um anfitrião amável. Fui muito bem recebido lá. Quando cheguei pedi para usar a casa de banho que estava pichada de *slogans* revolucionários (a política no Brasil não dá para discussões serenas). Pensei que eu talvez fosse a voz mais conservadora que alguma vez espalharia por ali o seu som. E isso continua a ser um dos aspectos que torna o *rock'n'roll* realmente interessante: não pertence a nenhuma ideologia política.

Rock de esquerda é tão absurdo como *rock* de direita (como é absurdo *rock* cristão). Mas é verdade que, por haver um consenso preguiçoso generalizado acerca de se esperar progressismo dos artistas, aqueles que não o abrigam sentem-se sempre em maior rebeldia. O manifesto liberal da casa de banho só tornou mais *punk* que um cristão conservador pudesse cantar naquele lugar. Independentemente dos *slogans* de esquerda da casa de banho, a Sensorial Discos recebeu-me como se fosse família, e isso é o mais importante. O *rock* deveria continuar a ser assim, um lugar de liberdade a sério, sem policiamentos ideológicos.

O público não era muito, mas a minha emoção, sim. Estariam cerca de vinte pessoas a ouvir, se tanto. Entre elas estava o pastor Valter Reggiani, que me acompanhou durante todo o dia. Fiquei tocado por aquele gesto simples e hospitaleiro. Deve ter sido a primeira vez que, acompanhando um pastor convidado em sua igreja, foi parar em uma rebelde loja de discos de vinil. Estavam também alguns amigos que já tinham estado durante a manhã na Igreja Batista Reformada, como o Anderson, a Ingrid, o Lucas e a Júlia. Estava também o Bruno Capelas, que uns anos antes me tinha feito uma entrevista muito boa para a Scream & Yell. E estava ainda o Rodrigo Russo, um rapaz brasileiro de São Paulo que trazia um dos meus discos em vinil, o *V*. O Rodrigo deixou-me quase sem fala quando contou que dois anos antes, quando estudava na Inglaterra, foi de propósito a Portugal para assistir a um concerto que dei com o Manuel Fúria e com o Samuel Úria no Musicbox, em Lisboa.

Talvez seja do fato de tocar poucas vezes ao vivo, mas nunca tinha pensado que num concerto banal que dou pudesse estar alguém que fez um grande caminho para lá chegar. Fico envergonhado ao pensar na possibilidade de ter tido uma postura pouco séria em alguma das minhas apresentações no passado, não honrando o esforço que pessoas tenham feito para irem ouvir-me. Na verdade, nunca pensei que a minha música e a dos meus amigos pudessem arrancar um gesto de tanta dedicação. Se alguém que está a ler estas palavras já alguma vez fez um esforço para me ouvir para depois ter recebido uma prestação fraca da minha parte, o meu pedido de desculpas. Foi necessário o Rodrigo de São Paulo para entender isso. O Marcelo Perdido tocou antes de mim. Ele é bom. A música dele é simples e eficaz. Usou uma canção como bandeira de uma causa pró-Lula, mas até isso soube fazer com gentileza. O Marcelo soube colocar o nível onde ele deveria estar. Aquela era uma tarde para se ouvirem canções de pessoas que estão mesmo ao pé de nós, como se estivessem lá em casa na nossa sala de estar. Por isso mesmo, tentei fazer o mesmo. Tenho de confessar que gostei de tocar. Já uns dias antes tinha tocado quatro canções minhas para os estudantes do Seminário Martin Bucer. E o certo é que, em quase quarenta anos de vida, nunca senti tanto prazer em dizer o que as minhas canções dizem. Na maior parte da minha vida musical, tive uma relação meio conturbada com o ato de tocar as minhas canções. Por um lado, gosto do *show* envolvido, do *in-your-face* da minha música, do efeito-choque. Mas por outro, e por limitação do meu talento, e também por alguma preguiça em ensaiar, quando toco estou meio ansioso para acabar aquilo. Nunca fui um músico muito elogiado pela minha interpretação.

Mas nos últimos anos, e sobretudo pelo efeito do disco *Bairro Janeiro*, de 2016, em que cantei de coração como nunca tinha feito antes, ganhei outra fé nas minhas canções. Agora acredito nelas. Acho que elas dizem coisas que valem a pena ser ditas. E essa convicção levou a que acreditasse na voz que tenho para dizê-las. Hoje gosto de me ouvir dizer as letras que canto. Isso assim à primeira vista pode parecer pretensioso, mas encaro-o como uma conciliação necessária entre a pessoa que cria uma coisa e o uso público que essa criação terá depois. Sinto-me mais em paz com a possibilidade de fazer música. E encaro o fazer música como um propósito que Deus me deu. Esse propósito será menos avaliado pelo sucesso que alcança (que é pouco, por certo), e mais pelo fato de me ter sido dado por Deus. Ou seja, principalmente faço música porque Deus me permitiu fazê-la, e não tanto porque ela alcança muito nos outros. Antes de fazermos algo por causa dos outros, devemos fazê-lo por causa de Deus.

Calvino contra C. S. Lewis, dois amores do meu coração

Numa fase do livro em se que menciona calvinismo, legalistas e patrulhamentos ideológicos ao *rock'n'roll*, talvez valha a pena dar um salto e reter na citação da obra-prima de Luís Miguel Militão Guerreiro, no início deste capítulo, uma esperança: a utilidade do cristianismo também se vê no modo como ele pode tentar travar um plano assassino. Um de nossos maiores problemas é que, como Nietzsche profetizou, tendo nós chegado a uma época que deixou de acreditar na necessidade da salvação da alma, a diferença entre um assassino e um não assassino não chega ao ponto de distinguir entre eles destinos eternos. Se não há céu nem inferno, o assassino não tem assim tanto com que se preocupar. Ser mau prescreveu. Jesus veio para os maus, mas que utilidade pode ele ter quando todos nos tornamos bons?

Há um teólogo britânico chamado N. T. Wright que, sendo frequentemente inspirador, vive obcecado com aquilo que considera a obsessão americana pelo inferno. Usando um pretexto teológico, Wright não me parece conseguir ultrapassar um tipo de esnobismo inglês que verte elegante mas impiedosamente sobre os americanos.[1] Afinal, qual é o povo que inspira mais confiança: o que acredita que pode ser mau a ponto de merecer o inferno e, consequentemente, viver preocupado com essa possibilidade, ou o que paira acima dessa preocupação, que rotula como mesquinha? Para mim, são os cristãos cujas narinas nunca sentem o cheiro do enxofre aqueles que mais me assustam.

Há algum tempo lia no mesmo dia as *Institutas* de Calvino[2] e *Reflections On The Psalms* do C. S. Lewis.[3] Encontrei um contraste curioso entre o teólogo francês do

---

[1] Se N. T. Wright fosse mais competente a moderar sua pitada amarga de altivez sobre os americanos, estaria mais disposto a ler mais dele. Afinal, sinto que perco por não o conhecer tão bem...

[2] *Instituições da religião cristã*, 2 tomos (São Paulo: Unesp, 2008).
  Comecei há uns anos um blogue só dedicado à leitura das *Institutas*. Pode ser consultado em: <lendoasinstitutas.tumblr.com>. Como sou um leitor mais lento do que desejava, a leitura ainda está por terminar.

[3] *Lendo os Salmos* (Viçosa, MG: Ultimato, 2018).
  Graças ao meu professor de escola bíblica dominical da Igreja Baptista de Queluz, o Fernando Ascenso, fui educado na religião lewisiana. Creio que é interessante um lewisiano conseguir, na maturidade, encontrar divergências diante do mestre. Parece-me ser aqui o caso. Ainda assim, que fique claro que posso até discordar de Lewis, mas nunca o Lewis se despedirá do meu coração.

século 16 e o escritor britânico do século 20. Amo os dois, devo reconhecer — sem eles, minha vida seria uma tristeza. Mas quero, neste assunto do pranto e ranger de dentes, que por alguma razão os britânicos têm tentado resolver não lhe prestando grande atenção, voltar a afirmar porque precisamos de cristãos vidrados no inferno para que possam ser de alguma utilidade na terra.

O C. S. Lewis, ao comentar os salmos, critica os cristãos que baseiam sua fé sobretudo na crença na vida eterna. O objetivo dessa crítica é recordar que o nosso foco deve estar num desejo sincero pela presença de Deus, e não apenas nos prazeres do paraíso. Certo. Outra maneira de colocar o assunto é a que o pastor norte-americano John Piper usa ao perguntar: se Jesus não estivesse no céu, isso faria assim tanta diferença para ti? Lewis quer que o nosso cristianismo seja efetivamente mais o nosso desejo de Deus do que o nosso desprazer pelo inferno. E creio que essa crítica tem méritos, sem dúvida. O problema é que nessa crítica de Lewis pode crescer uma espécie de vaidade escondida. Como assim?

Antes de irmos a essa possibilidade de vaidade escondida, é refrescante ler Calvino a dizer sem rodeios que, como Paulo afirma em 1Coríntios 15.13-17, se não há ressurreição, somos os mais miseráveis de todos. Ou seja, se o cristianismo não tem vida além desta, física e espiritual, por muito bem-intencionado que seja, é uma mentira. Ou há céu e inferno mesmo, ou isto é tudo uma grande fantochada. Por impopular que seja hoje afirmar de um modo tão simples a crença na ressurreição, ela é o terreno firme de nossa esperança.

Regressemos à possibilidade de vaidade escondida na crítica de C. S. Lewis. Se eu vou para o céu, não tanto porque tive medo de ir parar no inferno, mas sobretudo porque desejei a presença de Deus, até que ponto é que não creio, no fim de contas, numa lógica meramente retributiva? Afinal, neste esquema, posso continuar a merecer o céu por uma questão de recompensa, recompensa essa que premeia um desejo que internamente sinto — o desejo de estar perto de Deus. A questão é que acabamos com outro problema: que salvação existe então para quem não quer estar perto de Deus? Pior: podemos acabar numa lógica mais perversa ainda em que o céu é o lugar dos que essencialmente são melhores, porque desejam a presença de Deus, e o inferno é dos que são piores, que não a desejam.

C. S. Lewis, ao querer criticar justamente a dureza do coração dos que desejam o céu de uma maneira quase indiferente à presença de Deus, pode redundar numa dureza pior que é separar as pessoas entre as que têm um desejo muito correto, de estarem perto de Deus, e as demais. Num certo sentido, continuamos com uma lógica de mérito, em que para o céu vão os bons e para o inferno os maus. Sei que o Lewis não desejaria isso e eu gostaria de o ouvir a explicar-se melhor sobre este assunto, mas, enquanto isso não acontece, parece-me uma vaidade.

Creio que nas Escrituras as coisas podem ser abençoadamente um pouco mais complexas, para serem mais simples no fim. Quando lemos a Bíblia, vemos o céu e o inferno como lugares que, de certa maneira, já escolhemos aqui; mas também os encontramos como lugares que não escolhemos aqui. Vou tentar explicar melhor. Acho que não é irrazoável aceitar a ideia de Lewis, de o inferno ser um lugar em que a porta está trancada por dentro, por quem lá está e lá quer continuar, decididamente longe da presença de Deus. Até porque vários textos bíblicos, como Romanos 1, nos lembram que não há nada pior do que Deus abandonar-nos às coisas que desejamos. Mas também podemos ver o céu e o inferno como os lugares que não escolhemos. E é neste segundo sentido que a graça de Deus serve melhor de desempate para ver quem vai para onde.

Uma das coisas realmente escandalosas na mensagem do cristianismo é que ela vai além do "fizeste isto, mereces a consequência". E o problema é que, na ideia de que o inferno é escolhido aqui, permanecemos essencialmente no terreno do "cá se fazem, lá se pagam", quase se nivelando a uma versão cristianizada do carma. A questão é que o cristianismo é cristianismo precisamente porque inverte nossos pressupostos e lança gente ruim no céu e gente boa no inferno — novamente nos surpreendemos com o sentido de humor divino. E a graça pode ser graça, um elemento muito mais irrequieto que nossos méritos, porque pessoas que nunca desejaram a presença de Deus podem chegar a passar a eternidade com ele. E é aqui que quero continuar a criticar o meu herói C. S. Lewis.

Eu amo o C. S. Lewis. Na prática, minha vida é tentar ser como ele. Meu sonho é escrever aquilo que mais próximo chegue das *Screwtape Letters*, meu ideal de perfeição literária.[4] Mas o Lewis, que facilmente alveja o farisaísmo

---

[4] *Cartas de um diabo a seu aprendiz* (Rio de Janeiro: Thomas Nelson Brasil, 2017).

de tantos cristãos, talvez caia noutro. Qual é o farisaísmo possível do bom Clive Staples? O Lewis maneja habilmente os textos bíblicos, com um olho atentíssimo para aquilo que neles é fantástico (e *Reflections on the Psalms* é um excelente exemplo disso), mas acaba por confiar demasiado na própria cabeça. O grande problema do C. S. Lewis é que lê a Bíblia demasiado a partir da cabeça do C. S. Lewis. E ler a Bíblia a sério é procurar lê-la com a cabeça dela. Certamente que não é fácil. Mas o bom cristão lê a palavra tentando entendê-la a partir dela mesma, e não a partir dele mesmo. O Lewis é muito bom mas às vezes o seu pior é resumir-se à sua bondade, *do you know what I mean?*

Vou tentar ilustrar. Neste caso, em que o Lewis critica justamente que se queira ir para o céu essencialmente por medo do inferno, paira sempre a ideia de que ele, o bom do Lewis!, é diferente e, neste caso, deseja a eternidade porque é desinteressado das consequências, e porque é unha e carne com Deus. Isso é ainda mais irritante do que querer ir para o céu por ter medo do inferno — sim, querer ir para o céu porque se está apaixonadíssimo por Deus pode ser mais insuportável do que querer ir para lá por medo do inferno (e daí a minha falta de paciência com místicos). É que, ao menos, a pessoa que quer ir para o céu por medo do inferno assume que é pecadora a ponto de pensar no interesse próprio.

Já o C. S Lewis pode passar a ideia de que sua estadia no céu é completamente justificada tendo em conta o amor desinteressado que sente por Deus. O Lewis é um pecador menos pecador e por isso ir para o céu é mais justificável. Mas, assim, o Lewis fica longe de uma das coisas mais bonitas do cristianismo, que é o céu poder abrir-se a pecadores tão horríveis que viveram de tal modo a nunca terem desejado Deus. Não me parece que o C. S. Lewis quisesse dar a si próprio como exemplo de uma pessoa que vai para o céu porque, muito corretamente, desejou puramente a presença de Deus.

Vejamos a coisa de outra perspectiva: quando é que o amor de Deus tem de ser mais esticado? Quando ama aqueles que já o amam naturalmente? Não — Jesus até disse no Sermão do Monte que amar aqueles que nos amam, até os publicanos amavam, o que não era um elogio (Mateus 5.46). O amor de Deus tem de ser mais esticado quando tem de ir ao ponto de amar pessoas que são tão ruins que só pensam na própria sobrevivência. Ter medo de ir parar no inferno torna-se uma excelente razão para ser alcançado pelo perdão de Deus.

Por que vale a pena que nos inflamemos tanto com essas questões de céu e de inferno? Deixem-me ser o mais sincero que consigo: sou obcecado a falar sobre o céu e o inferno porque, ao contrário da imagem que a cultura que me cerca projeta acerca de si, eu não sou uma pessoa inclinada a ter bons sentimentos nem a fazer boas ações — eu não sou material de paraíso. Este que vos escreve, marido de mulher, pai de filhos, pastor de igreja, escritor de livros, músico de discos, projeto de intelectual e revolucionário cultural em progresso, é, em seu coração, das criaturas mais desprezíveis que podem conhecer. O bem não me está na massa do sangue. Eu não sou o C. S. Lewis, naturalmente desejoso da presença de Deus (pelo menos não como me parece que esse desejo é descrito por ele). Meu cristianismo não é desinteressado, focado fundamentalmente no amor que sinto por Jesus. É verdade que amo Jesus. Mas amo Jesus no meio de sentimentos e ações feias e, se não for a certeza da ressurreição, o bem que vivo nesta vida não bastará para salvá-la.

Entendam isto: apesar do amor que já sinto por Jesus, porque o Espírito Santo já está em mim pela fé, este amor daqui, desta vida terrena, não basta para me fazer viver para sempre. O que me fará viver para sempre é o fato de Jesus já ter ressuscitado e de, nessa ressurreição dele, me garantir que ficarei a amá-lo para sempre na eternidade. O que me salva não é o amor com que respondo ao amor de Jesus; o que me salva é que, por causa do amor de Jesus, posso amá-lo de volta no poder do amor dele, não do meu. E é aqui que o Calvino vê mais longe que o C. S. Lewis.

Ou esperamos pela ressurreição que nos leva à vida eterna ou somos as piores pessoas de todas porque estamos satisfeitos nas qualidades que já temos agora, nesta vida. E para mim existem poucas arrogâncias piores que a autossatisfação. Reparem no paradoxo: ser um cristão completamente satisfeito aqui pode ser a maneira de ser o mais cagão dos pecadores (perdoem-me o português, mas acho que se justifica). E essa é uma coisa que cada vez me cheira pior, a abundância de cristãos satisfeitos com sua fé iluminada (sejam católicos progressistas ou evangélicos com ares de intelectuais, satisfeitinhos em terem uma fé mais inquieta e curiosa que os outros, os evangélicos supostamente básicos).

Calvino sabia que viver neste corpo ainda continua a ser uma prisão, não no sentido em que o corpo é mau em si, mas no sentido em que ele impede nossa união perfeita com Cristo (e por isso a palavra diz que nossa vida mais real está escondida em Cristo, em Colossenses 3.3). Logo, é natural que o cristão seja necessariamente obcecado pelo céu, pela vida eterna. O cristão que é obcecado pelo céu não o é porque se acha melhor que os outros; o cristão que é obcecado pelo céu é assim porque está farto de tudo o que dentro dele é mau. Hoje os cristãos obcecados pelo céu, pela vida eterna, recebem muito má imprensa quando, na verdade, são pessoas muito mais humildes do que aqueles que os criticam (que estão a pensar na boa imprensa que é ser um cristão higienicamente não obcecado pelo céu, refastelados no conforto que sentem nesta vida). Por que não encontramos os católicos progressistas e os evangélicos metidos a intelectuais a falarem de assuntos tão primitivos como a ressurreição e o céu? Basicamente porque se encontram satisfeitos com a popularidade que adquirem graças à sua fé mais esclarecida.

Por outro lado, desejar o céu também é entender que não é só a nossa vida que convém resgatar, mas todo o cosmos. Na verdade, o céu é os novos céus e a nova terra, a Nova Jerusalém. A realidade eterna é a da renovação de todas as coisas espirituais e físicas. Ao contrário do que se costuma dizer, os cristãos que desejam o céu não o fazem por desprezar este mundo, mas por amarem-no a ponto de quererem vê-lo em perfeição, completamente restaurado na eternidade.

Calvino sabia que era difícil acreditar na ressurreição do corpo, sendo este assunto um saco de pancada dos filósofos de todos os tempos que, naquele amedrontamento típico da filosofia, escolhiam seletivamente acreditar apenas na imortalidade da alma. No entanto, há dois terrenos bem firmes para acreditar nela.

Em primeiro lugar, é firme acreditar na ressurreição pelo fato de Jesus já ter ressuscitado. Os cristãos não acreditam na ressurreição a pensar neles, mas a pensar em Cristo. Cristo prometeu que ia ficar para sempre conosco. Surpresa das surpresas, depois de ter dito isso não é que morreu?! Mas, surpresa ainda maior!, não é que ressuscitou a seguir? Logo, e se partirmos do princípio de que um milagre desses pode acontecer (princípio de que parto), dou um enorme benefício da dúvida a um cidadão que me prometeu uma coisa antes de morrer mas que, a seguir, ressuscitou. Ou seja, se Cristo é uma pessoa que chega ao ponto de ser mais competente que a morte, vencendo-a, provavelmente é pessoa para honrar as promessas que faz. Se Cristo ressuscitou, é estúpido não acreditar no que ele disse. E se ele disse que ia ficar para sempre conosco, é porque vai mesmo. A ressurreição é a base da nossa esperança.

Tendo ainda em conta que a Igreja é o corpo de Cristo, no qual ele é a cabeça, não confiar na ressurreição é achar que a Igreja é como aqueles instantes em que o Gato do País das Maravilhas ficava só com a cabeça, sem corpo. A Igreja não é o Gato do País das Maravilhas, minha gente! E Calvino lembra ainda o detalhe de Jesus, depois de ter ressuscitado, não ter vindo exibir-se a Pilatos ou ao Sinédrio com jeito de "Ei, pessoal, engulam lá esta! Olhem para mim, vivinho da silva!". Não. Jesus foi mostrar-se às mulheres primeiro e aos discípulos depois para provar que o ponto mais importante da ressurreição não é o poder (é óbvio que Deus tem poder para ressuscitar, se ele teve o poder para criar o universo a partir do nada), mas o amor aos que lhe pertencem. Em segundo lugar, é nesse lugar do poder de Deus que reside nossa confiança na ressurreição.

Este foi um texto à parte algo sinuoso, mas saiu da alegria de acreditar na ressurreição com uma intensidade maior do que aquela com que amo o C. S. Lewis. Clive, não te aborreças. Mas olha que o Calvino ainda via mais longe do que tu. Precisamos de cristãos obcecados pelo céu e pelo inferno, de narinas cheias de enxofre, para poderem valer os outros pobres pecadores que, miseráveis como nós somos, é bem provável que sem a graça de Deus acabem desgraçados num inferno que também escolheram para si mesmos.

Por que é que Luís Miguel Militão Guerreiro não seguiu o conselho do pastor evangélico naquela noite maldita?

*A minha intenção era desviar as suspeitas
que ele eventualmente pudesse ter em
relação a mim. [...] Depois de conseguir
que me dissessem os códigos dos restantes
cartões, saí da casa de banho e fui até ao
salão. Foi a última vez que vi aqueles seis
homens, compatriotas e pais de família. [...]
Quando terminaram, o Ronaldo ligou-me a
dizer que tinha sido uma chacina.*

Luís Miguel Militão Guerreiro,
Morrer na Praia do Futuro

8
Sem crime praticado não há redenção possível

Não tive oportunidade de passear por São Paulo. Depois da apresentação na Sensorial Discos, o melhor que conseguimos foi, graças à paciência e generosidade do pastor Valter Reggiani, que não só me recebeu em sua casa e em sua igreja como ainda me acompanhou ao concerto, atravessar de carro a Avenida Paulista. E que avenida! À falta de melhor referência, era como se estivesse numa Manhattan tropical. São Paulo é uma cidade realmente esmagadora. Não se pode passar por uma cidade como São Paulo e não sentir um atropelo. É uma cidade imensa que passa por cima de nós de uma maneira que não saímos ilesos. Apesar de ter visto pouco, fui pisado por muito. Quero regressar a São Paulo.

Na Igreja Batista Reformada de São Paulo, conheci um casal vindo do contexto judeu messiânico. No caso, um rabi convertido ao cristianismo. Em Portugal não há casos assim, que eu conheça. Também, vale a pena dizer que em Portugal os poucos judeus que há pouco acreditam em Deus. Ou seja, Portugal tem essencialmente daquele tipo de judeus teologicamente liberais que na prática equivalem acreditar na Torah a acreditar no Gato de Botas (antes fosse no Gato do País das Maravilhas). Portugal é teologicamente tão pobre que nem do povo mais privilegiado do mundo, o judeu, se consegue sacar um centímetro de fé a sério.

Depois de São Paulo, Fortaleza era o próximo ponto de parada da excursão de apresentação dos meus três livros em solo brasileiro. Depois de um domingo preenchido na Igreja Batista Reformada de São Paulo, com sermão de manhã e sermão de noite, esperava-me uma noite de pouco sono para acordar às quatro da manhã e seguir para o aeroporto de Congonhas. O pastor Valter Reggiani conduziu-me até lá e fui surpreendido por uma coisa que não sabia existente, só possível numa megacidade como São Paulo: trânsito antes das seis da manhã. Ainda assim, deu para chegar ao aeroporto na hora necessária.

Como já disse antes, sou um nabo diplomado, incapaz de me safar sozinho. Imaginem-me a chegar a um aeroporto e ter de me desenrascar a apanhar um avião. Cometi um erro logo aí. Em vez de despachar a mala, levei-a para a zona do embarque. É verdade que achei estranho o fato de ser o único naquela área com uma mala do tamanho da minha. Mas os senhores que tratavam de verificar as bagagens de mão não me impediram de entrar com aquela mala imprópria. No raio-x a minha bagagem apitou porque levava uma faquinha de manteiga, que a Rute tinha juntado aos petiscos que escondeu entre a roupa para me surpreender. No entanto, quando mostrei, não se opuseram.

Foi preciso chegar perto de uma pessoa com mais critério que eu, que neste caso era o Sérgio Moura, da Editora Vida Nova, para que entendesse que tinha cometido um erro ao não despachar a mala no lugar certo. O Sérgio começou a averiguar se seria necessário voltar atrás ou se daria para despachar na porta de embarque. Disseram-lhe que a segunda seria possível. Mas o Sérgio não evitou uma nota irônica, ao ver o senhor do aeroporto que pegou nela na zona de embarque com um ar pouco orientado, e comentou que provavelmente a iriam perder. Dito e feito. Quando chegamos a Fortaleza, assim tinha sucedido e a mala tinha ficado no Rio, onde fizemos uma escala (vi o Rio de Janeiro apenas a distância).

Essa questão das escalas foi outra para a qual não estava preparado. Estupidamente prevendo minhas deslocações com as dimensões portuguesas, idealizei que cada viagem que fizesse dentro do Brasil fosse direta. Burro. Em todas tive de fazer escalas. O que significava que, na prática, a quantidade de voos duplicava. Para quem não gosta de voar, isso não é animador. Valia-me agora o fato de estar acompanhado pelo Sérgio. O Sérgio foi uma excelente companhia. O Sérgio é um conversador muito agradável, um bom apresentador do Brasil para quem não conhece, alguém que se oferece para resolver problemas quando eles aparecem, entre outros talentos. Minha estadia no

Brasil foi melhor graças ao Sérgio Moura. Recebi dele muita paciência e generosidade.

Continuando na lógica saloia do português, pensava em Fortaleza como um Algarve brasileiro: praias e turistas num certo sossego veraneante. Céus. Fortaleza tem mais de dois milhões e meio de habitantes. Um Algarve brasileiro é maior que a capital portuguesa. Neste caso em particular, e já do avião, dava para ver que Fortaleza é uma grande cidade mesmo. O fato de ter praia e turistas não diz tudo sobre ela, apenas uma pequena parte.

O Sérgio e eu fomos recebidos pelo pastor Cleyton Guedelha e o pastor Irenildo. O primeiro era o responsável pela igreja onde eu iria falar à noite, a Igreja Batista de Parquelândia. O segundo é um dos melhores contadores de história que já ouvi. Foi ele que me respondeu à pergunta que averiguava acerca do tamanho da população de Fortaleza, respondendo que setenta por cento eram bandidos. Depois explicaram que, na imensidão que o Brasil é, há um lugar especial para o sentido de humor nordestino — é tão leve quanto autoirônico.

O certo é que Fortaleza é das cidades mais perigosas do mundo. Agradeço por me ter apercebido melhor dessa realidade posteriormente, depois de ter deixado a cidade. No entanto, houve um momento único em que, quando o pastor Irenildo nos conduzia do hotel para a igreja onde daria a palestra, lhe perguntei, ao ver uma equipe policial bem apetrechada de armas junto a um semáforo, se era normal as autoridades envergarem sempre aquele tipo de equipamento — ele respondeu-me que todos os dias agradecia a Deus quando chegava vivo à sua casa. O modo como disse isso foi naturalíssimo.

Depois explicou, sempre com um sorriso nos lábios, que a coisa mais vulgar em Fortaleza era precisamente estar parado no trânsito junto a um semáforo e aparecer uma motocicleta com alguém armado que aponta o revólver e leva o que quiser. Não é raro morrer gente no processo. Como podem imaginar, o pastor Irenildo explicou isso quando estávamos precisamente parados num semáforo. Ele continuava a sorrir ao contar isso. Eu também sorri, mas foram os nervos que me fizeram sorrir. Apeteceu-me dizer-lhe que ele podia ter deixado aquela história para outra ocasião.

Esta é uma das características interessantes dos brasileiros. Os brasileiros estão tão habituados à violência que só podem falar dela com naturalidade. Não gostar de falar de um assunto é geralmente um luxo de quem julga que o pode evitar. Os portugueses preferem não saber do risco que correm porque talvez assim não precisem lidar com ele. Para os brasileiros o risco é onipresente e por isso talvez seja melhor lidar normalmente com ele. Fale-se dele, ria-se dele, lide-se com ele. O pastor Irenildo era um contador de histórias brilhante também por ser capaz de pegar no medo e rir dele. No fundo, também é uma espécie de coragem.

Como disse, o augúrio do Sérgio Moura concretizou-se. À chegada a Fortaleza a minha mala extraviou-se. Para castigo do seu mau presságio, teve de ser o Sérgio a tratar do assunto. Como não sou um viajante assim tão experimentado, nunca me tinha acontecido ter a bagagem extraviada. O sentimento não é agradável. Ficamos na expectativa de que chegasse durante a tarde. Nada. Ficamos na expectativa de que chegasse no início da noite. Nada. Ficamos na expectativa de que chegasse durante a madrugada. Nada. Ficamos na expectativa de que chegasse na manhã seguinte. Nada. Comecei a ficar preocupado e triste. Quando se sente falta de casa, até uma mala faz diferença. Ainda bem que tinha a gravação de uma entrevista em vídeo durante essa manhã — por estar ocupado, não fiquei a me deprimir no hotel.

Essa entrevista era com o Yago Martins. Nem vou tentar fazer justiça à importância do Yago nestas linhas porque não conseguiria. Sem ele, não teria chegado ao Brasil. O Yago é um miúdo que hoje é um justo fenômeno público teológico. Começou há uns anos um canal de YouTube chamado "Dois Dedos de Teologia" que, entre outras conquistas, deu a uns quantos brasileiros um interesse genuíno pela Igreja da Lapa e pelos meus livros. Eu, que sou estranho para o meu país, sendo ainda mais estranho para o Brasil, sou lá beneficiado pela característica brasileira que tenho repetido que é a generosidade. O Yago é casado com a Isa, que também já conquistou o coração da família Cavaco. Sentir os ossos do Yago num abraço foi um dos prodígios da minha viagem ao Brasil.

A noite anterior, na Igreja Batista de Parquelândia, tinha sido uma grande experiência. Coloquem-se no meu lugar: estou no Brasil para lançar três livros, mas, como é óbvio, para a esmagadora maioria sou um ilustre desconhecido. É verdade que a conferência em que estava inserida a minha palestra contava com o Franklin Ferreira no terceiro e último dia, fato que atraía muita gente. Ainda assim, quem se dispõe a ouvir um portuga anônimo? Foi aí que, uma vez mais, percebi que minhas categorias portuguesas não faziam sentido no contexto brasileiro. A Igreja Batista de Parquelândia rapidamente se encheu, com talvez três centenas ou mais de pessoas dentro do salão, mais um grupo de mais de cem pessoas a assistir num pátio externo da igreja, por uma tela instalada para a ocasião. Assim, em traços gerais, eu falava para quase meio milhar de pessoas, sendo que a maior parte eram jovens. Tal e qual: segunda-feira à noite, cerca de meio milhar de jovens ouve um pastor português desconhecido falar sobre meio milênio de um evento no Velho Continente. Se isso dá para reproduzir na própria Europa? Dificilmente.

Essa coisa fantástica só pôde acontecer comigo porque há um país chamado Brasil onde se vivem coisas impensáveis no meu. Durante décadas o Brasil foi campo missionário norte-americano e, no contexto reformado em geral e presbiteriano em particular, houve um investimento em receber alunos brasileiros em boas universidades evangélicas americanas. Adicione-se a isso o inesperado vigor da onda calvinista dos últimos dez anos e podemos encontrar um quadro que, sendo inesperado, está relacionado com boas práticas de um passado recente. Para que haja casas cheias e sedentas de ouvir falar sobre eventos europeus com meio milênio, que nem à Europa interessam, foi feito muito esforço norte e sul-americano.

Agora imaginem o momento em que, antes da palestra começar, se levanta o coral da Igreja Batista de Parquelândia e canta em plenos pulmões o "Castelo Forte" do Lutero. Minhas pequenas categorias europeias foram, uma vez mais, pelos ares. Quem no mundo está a valorizar a herança religiosa germânica são pequenas multidões de latino-americanos. Já pensaram nisso? A Europa bem pode lançar no lixo o melhor do seu passado que haverá quem no hemisfério sul o aproveitará. Mais ainda: a Igreja Luterana da Alemanha pode ser a anedota que é, que consiste basicamente em não acreditar em nada daquilo em que Lutero acreditava, que não há problema: *we will always have Fortaleza!* A Europa bem pode apodrecer em versões amedrontadas e pós-modernas daquilo que foi uma revolução chamada Reforma Protestante, que a América Latina, bem acompanhada por África e Ásia, ainda agora se juntaram à festa. Lutero está morto e enterrado na Alemanha, mas eu vi-o bem vivo nas gargantas daqueles nordestinos. Fiz um esforço para não chorar porque tinha de falar àquela multidão logo em seguida.

O tema da palestra era "Ser católico sem ser romano: Como a Reforma Protestante não nos tira da Igreja universal". Temia que o assunto pudesse ser demasiado denso para as preferências que associava a um ponto turístico. Uma vez mais, minha ignorância confirmava-se. Quando acabei de falar, abriu-se espaço para perguntas. A primeira não podia ser mais surpreendente. Um jovem, ali na casa dos vinte anos, queria saber minha opinião acerca de casos como o do Scott Hahn.

Scott Hahn? Estão a fazer-me uma pergunta sobre o Scott Hahn no solarengo nordeste brasileiro? Em minha geografia intelectual um caso como o do Scott Hahn dificilmente chegaria ao interesse do nordeste brasileiro, quanto mais ao seu conhecimento. E para os que não conhecem o Scott Hahn, eu dou uma ajuda.

O Scott Hahn foi um pastor presbiteriano que há umas décadas se tornou católico romano. Para contar essa improvável conversão escreveu um livro que se chama *Rome, Sweet Home*,[1] e desde então tornou-se uma das vozes mais destacadas a defender, sobretudo entre os protestantes norte-americanos, a necessidade da conversão ao catolicismo. Além do caso do Scott Hahn, aconteceu na década passada também o do Francis Beckwith, que era o presidente da Evangelical Theological Society, entre alguns de maior perfil público.

Como sou abençoado por ter bons amigos que são bons católicos romanos, sendo um deles o Filipe Costa Almeida, há uns anos recebi dele como presente esse livro do Scott Hahn. Ou seja, quando a pergunta nordestina chegou inesperadamente, eu estava protegido pelo fato de ter lido um dos livros dele. E, portanto, tinha algo a dizer sobre o assunto. Não correu mal. Mas toda a minha

[1] *Todos os caminhos levam a Roma* (Lorena, SP: Cléofas, 2016).
Uma das curiosidades de boa parte das histórias de conversão de protestantes ao catolicismo é que, tentando defender a mensagem de Roma, mantêm da Reforma o meio (*media is the message*, lembrava o católico MacLuhan). Ou seja: as categorias usadas para que Roma seja o destino são as de uma viagem que só faz sentido para quem aceita o mapa protestante da prioridade da escolha subjetiva sobre a coletiva. Um católico que se tornou católico por causa da verdade absoluta do catolicismo é, no fim de contas, um protestante: afinal, que tipo de católico é que pode, com coerência, declarar confiança em sua certeza pessoal de encontro da verdade em Roma se não um que já abraçou o princípio protestante (e luterano, em particular) de a nossa consciência ser o árbitro final do que a realidade é? Nesse sentido, a realidade da conversão ao catolicismo só é possível na Idade Moderna que incorporou as vitórias do protestantismo. O catolicismo, se quisermos ser filosoficamente rigorosos, é o que está além da necessidade de uma conversão subjetiva — o catolicismo puro e duro foi morto pela modernidade.

presunção de achar que o nordeste brasileiro não estaria interessado no assunto "Ser católico sem ser romano" tornou-se mais uma a ser arrasada. O nordeste brasileiro não só está interessado no assunto como já está dentro dele. Se alguém estiver atrasado, será o lugar de onde vim — a Europa.

Nunca em Portugal conheci outro evangélico que estivesse por dentro da história do Scott Hahn. Nesse sentido, os evangélicos portugueses têm décadas de atraso em relação ao nordeste brasileiro. Teológica e culturalmente falando, Portugal tem muita sopa para comer para poder estar no nível que encontrei em Fortaleza. Por exemplo, a Igreja Batista de Parquelândia, que me recebeu para essa série de conferências, tinha a própria escola teológica, chamada Charles Spurgeon (os brasileiros pronunciam "espurgeon", o que não deixa de ser engraçado). O que isso quer dizer é que, não somente o Brasil tem igrejas em cidades, além da capital, que estão vivas em iniciativas próprias que oferecem conhecimento bíblico profundo, como começam a oferecer um circuito crescente em que um teólogo, vindo de fora, pode ser recebido, ouvido, compreendido e questionado pela via do diálogo. Muitas das vozes teológicas no contexto reformado norte-americano têm passado por Fortaleza. Há muitos lugares do mundo onde isso está a acontecer? Duvido.

E aqui quero fazer um aparte para, em seguida, falar da conversão ao catolicismo de alguns evangélicos. Afinal, se um dos livros que eu estava a lançar no Brasil se chama *Cuidado com o Alemão* e é sobre Lutero, convém reconhecer que o único trânsito não é o de católicos a tornarem-se protestantes, mesmo que este seja o maioritário.

Os evangélicos são os pretos do cristianismo

Este é um livro sobre uma viagem ao Brasil. E é curioso que tenha sido necessário ir ao Brasil para compreender um pouco melhor uma das doenças europeias e ocidentais que é a da repugnância intelectual causada pelo movimento evangélico. Faço então agora um aparte no relato da viagem para tocar neste assunto.

Um dos meus autores católicos preferidos é o G. K. Chesterton. Aliás, um dos meus autores preferidos é o G. K. Chesterton, ponto. Quando mais ou menos há quinze anos o descobri, houve em mim uma euforia. Por um lado, o Chesterton servia para dar mais explicação ao meu passado de ser fã do C. S. Lewis. Isso porque, em grande parte, o Chesterton funciona como uma espécie de proto-Lewis, em seu caráter britânico de defesa da fé nas altas e modernas ondas do século 20. Por outro lado, o Chesterton servia para eu querer dar-me às explicações a que um cristão se deve submeter no século 21. O fato de o Chesterton ser mestre de paradoxos parecia-me a única via para tornar o cristianismo intelectualmente respeitável no ambiente de hoje. Claro que é neste segundo ponto que minha perspectiva mudou.

Se é certo que continuo a ser superamarrado no Chesterton, não olho mais para a arte dele nos paradoxos como a âncora para o meu barco. Deixei de acreditar que a única maneira de ser intelectualmente respeitado enquanto cristão é à custa dos paradoxos chestertonianos. Não me entendam mal: creio que o paradoxo é das coisas mais incontornáveis do cristianismo. Meu ponto não é esse, de abandonar a importância do paradoxo.

Meu ponto é o de reconhecer que o que me fazia adorar os paradoxos do Chesterton não era a vontade de render-me ao cristianismo. O que fazia que eu me rendesse aos paradoxos do Chesterton é que, no meio de tão talentosa capacidade de drible à custa do paradoxo, a finta funcionava a favor de impressionar, e não de convencer. E, passados uns anos após minha euforia chestertoniana, considero que o cristianismo tem mesmo de convencer e não somente impressionar. Já não interessa só a fintinha talentosa que os paradoxos do Chesterton fazem; interessa-me mesmo que algum gol se marque.

Com isso quero fazer uma provocação aos amantes de Chesterton, como eu: gostariam tanto dele se, sem o artifício agudo dos paradoxos, ele dissesse o que diz sem as apuradas fintas retóricas? Sei que posso ser acusado de exageradamente separar a forma do conteúdo nesta pergunta, como se o modo de dizer não fosse parte do que se diz. Mas, de fato, creio que o ponto forte de Chesterton é também o seu ponto fraco (aliás, como uma verdadeira antropologia bíblica geralmente indica): Chesterton é melhor a ser defensor do cristianismo do que a defender o cristianismo, *if you know what I mean*. E acelerando protestantemente um pouco mais a minha acusação, diria que Chesterton é melhor a trabalhar as palavras do que a trabalhar a Palavra — já pensaram no escandalosamente pouco que o Chesterton fala da Bíblia?

Esta já longa introdução serve para, ao regressar ao meu amado Chesterton, recordar sua história de conversão ao catolicismo. O coração do Chesterton, sendo inglês, era todo a favor da Irlanda. O padre John O'Connor, que o recebeu na Igreja Católica Romana, era irlandês. Quando a cerimônia que marcou a chegada de Chesterton ao catolicismo se deu, era 1922 e a pequena igreja que abrigou o momento, em Battersea, não passava de uma cabana com teto de lata. Para o efeito do argumento deste texto, Chesterton converteu-se à confissão cristã que mais lhe parecia do lado de fora das glórias do mundo (no texto "Por que sou católico"[2] ele explica essa antítese católica ao mundo em termos de o catolicismo ser mesmo maior do que o próprio mundo). Mas o que interessa aqui reter é que para Chesterton era valioso pensar que, em grande parte, o catolicismo funcionava como antídoto para o mundo (ideia recorrente em sua obra, especialmente em títulos de clássicos como *O que há de errado com o mundo?* — ou *Disparates do mundo*, na velhinha versão portuguesa).

Há cem anos o catolicismo facilmente era acusado de ser ultrapassado e antimoderno. No fundo, não era uma acusação completamente desprovida de razão, na medida em que Roma olhava para a modernidade sob assumida suspeita. Também era a partir desse ambiente que o protestantismo, por oposição, funcionava como religião com aparente maior espaço para o progresso. É verdade que na complexidade protestante havia espaço para afirmações tão ou mais "antimodernas" como as do catolicismo (a polêmica fundamentalista estava a chegar, na década de 1920), mas, em geral, e no ambiente britânico em particular, era sobretudo em cima dos católicos

---

[2] Este texto pode ser facilmente encontrado na internet — por exemplo, na Sociedade Chesterton Brasil: <https://www.sociedadechesterton brasil.org/por-que-sou-catolico/>. Acesso em 4 de julho de 2020.

que caía a aura de religião retrógrada (o movimento do cardeal Newman não foi suficiente para contrariar isso). E Chesterton, sem vergonha, saía triunfantemente à rua para defender as razões por que se tinha tornado católico (mais uma vez o texto "Por que sou católico" é fundamental). O mundo ia numa direção e Chesterton, o católico, ia noutra.

O que talvez não se imaginasse há cem anos é que, décadas depois, as coisas mudassem, mudança essa simbolizada no Concílio Vaticano II. Simplificando coisas que acarretam complexidade, diríamos que o Vaticano II transforma a antimodernidade romana. O catolicismo decidiu abrir-se ao mundo, e dificilmente o imaginário chestertoniano, em que a Igreja funciona como remédio para as doenças dele, se pode aplicar com a mesma facilidade agora. Continuando o catolicismo a ser diverso, ele traz consigo, no entanto, uma vontade formalmente declarada de caminhar de mãos dadas com o mundo. Sem querer ser polêmico, diria mesmo que essa vontade de abertura ao mundo chega ao ponto de, por vezes, ser complicado perceber onde Igreja Católica Romana e o mundo podem divergir. Resumindo: quem diria que a Igreja do remédio chestertoniano para os males do mundo chegaria umas décadas depois à Igreja do papa que diz: "Quem sou eu para julgar alguém?".

E, no entanto, eis que o catolicismo renasce como porto de novas conversões, inclusive de ex-evangélicos. Claro que existe muita carapuça para nós, evangélicos, enfiarmos, sobretudo em nossa estúpida superficialidade eclesiológica e histórica. Todavia, o argumento fundamental deste texto é a observação da mudança de lugares entre protestantismo e catolicismo, cem anos depois da conversão de Chesterton à religião dos pobres, ignorantes e irlandeses. Isso porque, sem dúvida, os lugares mudaram. Hoje é o protestantismo (que não separo do movimento evangélico) que se tornou a religião dos pobres, ignorantes e, se quisermos, dos irlandeses de todo o mundo. O movimento evangélico é hoje o catolicismo de há cem anos; a Igreja que, por representar os desvalidos do mundo, tende a repugnar os cristãos em progresso, os intelectualmente respeitáveis e os esteticamente esclarecidos. Os evangélicos são os pretos do cristianismo e, nessa condição de discriminação global, são também o seu futuro (e uso o termo "preto" sem qualquer receio de ser tomado como um racismo, porque tem o propósito contrário, de defender os que estão na cauda do mundo — enfim, uso o termo "preto" como o Caetano Veloso faz). Eu tenho muito orgulho em ser evangélico e um dos pretos do cristianismo. Por ser evangélico no início do século 21, estou num lugar parecido com onde estava o meu querido Chesterton há cem anos, ao converter-se ao catolicismo.

Na eleição doida que foi a presidencial norte-americana de 2016, que nos deu Donald Trump, houve por parte da campanha de Hillary Clinton a tentativa de influenciar os setores democratas católicos a seu favor. À custa de umas Wikileaks ficamos a conhecer uma correspondência entre John Halpin, John Podesta e Jennifer Palmieri, responsáveis pela candidatura de Clinton. Escrevia Halpin que havia muitos conservadores que se tinham tornado católicos romanos recentemente, provavelmente atraídos pelo pensamento sistemático, ao que Jennifer responde: "Calculo que eles pensem que é a religião politicamente conservadora mais socialmente aceitável. Os seus amigos ricos não compreenderiam se se tornassem evangélicos". Ao que Halpin replica: "Excelente ponto. Eles podem atirar termos como 'tomístico' e 'subsidiariedade' e soar sofisticados porque ninguém sabe de que raio estão a falar".[3] Essas palavras, sendo usadas por pessoas interessadas em manipular convicções religiosas para objetivos eleitorais, são bem reveladoras. Conversões ao movimento evangélico não casam bem com poder e com sofisticação intelectual.

E, no entanto, o movimento evangélico cresce como nenhum outro movimento religioso. Uma parte do mundo olha para isso como uma epidemia de lepra cerebral. Eu, um dos evangélicos que no mundo quase nada sofre em comparação com tantos dos meus irmãos, gostaria de não desmobilizar. Leprosos foram doentes com oportunidades únicas de intimidade com o nosso Senhor. Dessa trincheira não devemos arredar.

Em Portugal os evangélicos são provavelmente a religião que mais pode ser achincalhada sem que haja qualquer repercussão. Os intelectuais e a esquerda em geral conseguem, à nossa custa, afirmações xenófobas e discriminatórias, impensáveis se fossem dirigidas a outra qualquer confissão, que ninguém se dá ao trabalho de valorizar porque não chegamos aos corredores do poder. Dou exemplos simples: o antigo presidente da República

---

[3] WikiLeaks, The Podesta emails, 7 de outubro de 2016, <https://wikileaks.org/podesta-emails/emailid/4364>. Acesso em 4 de agosto de 2020.

portuguesa, Mário Soares, que já morreu, chamou-nos fanatizados e ninguém mexeu palha. O antigo primeiro-ministro, José Sócrates, que está preso (estava preso quando escrevi este texto), chamou calvinistas aos seus oponentes e ninguém palha mexeu. Principalmente na esquerda (mas na direita também) a mensagem é simples: podemos pontapear impunemente os evangélicos à vontade porque na opinião pública eles já estão no chão. Somos a religião das empregadas brasileiras, dos pastores que vêm da América Latina para sacar dízimos, dos fundamentalistas que levam a Bíblia à letra porque são ignorantes, etc. Somos a religião dos maus e não a dos bons. Não vale a pena dourar a pílula.

A mim próprio, vejam-me a sina que me foi dada!, há quem me considere um evangélico intelectualmente respeitável — há quem queira fazer de mim "um evangélicos dos bons". Deus me livre de ser contado entre os sãos. Eu não quero ser um evangélico intelectualmente respeitável. Odeio evangélicos intelectualmente respeitáveis e não tenho o menor interesse pelo vosso respeito. Eu sou um dos pretos do cristianismo mesmo, dos da religião da vossa empregada brasileira, como os que vos querem sacar os dízimos, que vos pregam literalismos domingo sim, domingo sim. Eu, como o Chesterton quis ser há cem anos, sou da fé da escória do mundo. Sou dos da lama. E temos visto Cristo fazer coisas incríveis a partir dela.

Os evangélicos que se tornam católicos fazem paradoxalmente o percurso inverso ao do Chesterton, que de um contexto protestante se tornou católico. Os evangélicos que se tornam católicos fazem-no porque o catolicismo, em suas estetizações diversas, lhes dá a credibilidade cultural que o protestantismo hoje não lhes permite. O protestantismo continuará a crescer precisamente por não precisar da credibilidade do mundo. O protestantismo é hoje o chestertonianismo mais credível. Quando mais chestertoniano sou, mais evangélico permaneço.

Amaldiçoar é uma arte cristã que se está a perder

Para equilibrar a referência à influência de escritores católicos na minha vida, deixem-me falar-vos de um protestante. O pastor norte-americano John Piper é um homem que mudou a minha vida. Aliás, ele vai mudando a minha vida de tempos a tempos. Em 2007 ele escandalizou a formação que eu trazia da minha universidade de esquerda, ao escrever livros que acreditam que é preciso compreender o sentido dos textos que lemos. Apesar de ter me formado nas questões da linguagem e da filosofia europeia do século 20, a lição fundamental que aprendi é que um texto, ainda que fascinante, é no fundo aquilo que nós queremos que ele seja. Nem a minha educação evangélica conseguiu resistir a essa enxurrada pós-moderna de ceticismo antilogocêntrico. O pastor John reconduziu-me à cultura judaico-cristã que acredita que a palavra é a coisa mais importante da existência: ela dá origem à própria existência, ela é Deus em Jesus, o verbo que se fez carne.

Há uns tempos o pastor John Piper pregou sobre o primeiro capítulo da carta que Paulo escreve aos Gálatas (na conferência da Gospel Coalition de 2017).[4] Falou em particular sobre o verso 8, que diz: "Mas ainda que nós ou mesmo um anjo vindo do céu vos pregue evangelho que vá além do que temos pregado, seja anátema". A lógica do texto é que, em caso de impasse, diante de dois ensinos diferentes que cheguem até os cristãos, o que deve prevalecer é o evangelho. Nesse texto bíblico, o apóstolo Paulo estava a reconhecer uma possibilidade, ainda que remota, em que vinha ele próprio, de cabeça trocada, ou mesmo um anjo, pregar aos gálatas uma mensagem diferente daquela que os tinha alcançado originalmente. Ou seja, Paulo estava a recomendar aos gálatas que tivessem consciência de que não deve ser estranho para um cristão deparar com conflitos entre pregações — a vida é mesmo assim. E o que deve desempatar esses conflitos? Não as pessoas, mas a palavra.

No esquema católico romano o que desempata é a pessoa, e não a palavra. Como a palavra é tida como dependente da pessoa, da correta interpretação dos pastores da Igreja, cabe à pessoa dizer o que a palavra diz. Muito resumidamente, a Igreja Católica Romana, que crê ser a continuação do pastorado do apóstolo Pedro, espera que seja Pedro a ter o direito de resolver os problemas. A questão é que Paulo estabelece aqui na Bíblia um princípio diferente (e não deixa de ser revelador que o próprio Pedro mereça sua censura já no capítulo seguinte, em Gálatas 2). Ainda que viesse a própria

---

[4] Canal Truth Endures, "No Other Gospel", 8 de abril de 2017, <https://www.youtube.com/watch?v=wTHHUfX0hV0>. Acesso em 31 de julho de 2020.

pessoa que lhes tinha pregado o evangelho a primeira vez — neste caso, o próprio Paulo! —, e viesse com todos os méritos vindos do fato especial de eles se terem convertido graças à sua pregação, então, se essa mesma pessoa lhes pregasse uma coisa diferente, os gálatas deveriam dar-lhe um chute no traseiro.

Chute no traseiro é um eufemismo. Na realidade, a expressão "seja anátema" quer dizer ser maldito. Portanto, a pessoa, que podia ser a pessoa mais especial do mundo, pelo fato de ter sido quem pregou o evangelho, deveria ser mandada para o inferno pelas próprias pessoas que se tinham convertido pela pregação dessa pessoa, por estar agora a pregar uma coisa diferente (e vale a pena ver no YouTube o modo como o pastor Piper prega isso!). Sigam a lógica: eu converti-me por causa da pregação do Chico. É natural que o Chico seja mesmo especial para mim. Mas se o Chico vier pregar-me uma coisa diferente agora, por muito que eu o ame, o que eu devo fazer é mandá-lo para o inferno. Chico, vai para o Diabo que te carregue!

É por isso que, com toda a estima que possa haver com o catolicismo, permanece sobre ele um problema grave. O catolicismo não tem como obedecer a essa lógica de Paulo na Carta aos Gálatas. O catolicismo, porque crê que a autoridade da palavra depende de a Igreja assim a reconhecer, torna a pessoa que guarda a palavra o desempate em caso de choque de palavras. O catolicismo, que crê que a autoridade da palavra depende da Igreja, coloca a Igreja a desempatar os choques da palavra. Mas, segundo Paulo, só a palavra pode desempatar os choques da palavra. Nesse texto, o próprio Paulo, como autoridade incontornável da Igreja em seu apostolado, bem que podia ir lixar-se caso quisesse ser ele, com uma nova pregação, a dizer aos gálatas o que eles tinham de fazer. Os cristãos não são chamados a ir atrás de pessoas (nem de anjos!), mas da palavra.

O catolicismo é essencialmente uma Igreja que permite uma primeira versão de Paulo a pregar A, uma segunda versão de Paulo a pregar B, uma terceira versão de Paulo a pregar C, e por aí em diante. O catolicismo permite que os evangelhos possam ser diferentes desde que sejam pregados pela mesma Igreja. O catolicismo é uma religião mais progressista, moderna e mais "para a frente" do que o protestantismo precisamente porque as pessoas são uma figura de autoridade superior à palavra. O protestantismo é uma coisa parada no tempo, retrógrada, anacrônica, a mandar eventualmente todos os bispos e pastores para o inferno, precisamente porque leva à letra o que Paulo aqui diz. Ou seja, o protestantismo leva a palavra à letra onde o catolicismo leva a pessoa à letra.

Os católicos podem ter hoje uma religião muito mais agradável porque, levando a pessoa à letra (neste caso, a autoridade da Igreja reconhecida no papa), todos podem ser colocados dentro do céu (mesmo quando há cem anos não era bem a mesma coisa). O protestantismo pode ser uma religião muito mais desagradável porque, levando a palavra à letra (neste caso, a autoridade da Bíblia), todos podem ser colocados no inferno, até o próprio apóstolo Paulo, se pregar uma coisa diferente do evangelho. No catolicismo, todos podem ir para o céu; no protestantismo, até o apóstolo Paulo pode ir para o inferno.

Portanto, e para terminar este ponto, digo-vos: se me pregardes uma coisa diferente de Jesus Cristo, ide para o inferno! Malditos sede! P'ro Diabo que vos carregue! Mais ainda: se eu próprio me fizer de espertalhão e vos pregar outra coisa além de Jesus Cristo, fazei o favor de me mandar para o inferno! Maldito seja! P'ro Diabo que me carregue! Esta é a maneira peculiar como nós, protestantes, mostramos amor ao mundo.

Uma das tragédias do cristianismo de hoje é que ele perdeu a disciplina saudavelmente bíblica da maldição. Hoje todos os cristãos querem ser da bênção e isso frequentemente significa que, a pretexto de querermos plantar todos os homens no paraíso, estamos a mandar as palavras da Bíblia para a fossa. O segredo do cristianismo evangélico passa por ele manter-se vigorosamente pronto para, com todo o amor à palavra, dizer a verdade a todas as pessoas, mesmo que isso implique mandá-las para o Demônio.

Uma espécie de sub-Judas a dar uma de supra-Tomés

Há uns tempos meti-me, junto com a perícia linguística do meu cunhado Tiago Oliveira, numa polêmica por causa da tradução da Bíblia feita pelo acadêmico Frederico Lourenço.[5] Poucas vezes me senti tão desapontado pela discrepância entre o potencial do debate e a desinspiração do retorno. Entre várias manifestações hostis ao nosso

---

[5] Essa desinspirada correspondência entre mim, o meu cunhado Tiago Oliveira e o professor Frederico Lourenço (que nunca dispensou a graça de nos nomear) pode ser encontrada nos arquivos do meu blogue, *Voz do Deserto*, de agosto de 2017: <http://vozdodeserto.blogspot.com/2017/08/>. Acesso em 31 de julho de 2020.

projeto, nenhum chute ao gol ocorreu no campo (neste caso, no texto grego, nem mesmo pelo eminente Professor), mas os impedimentos foram curiosos: uns quantos autodenominados cristãos (inclusive autodenominados cristãos evangélicos) esbracejaram explicando o meu disparate em querer defender a integridade da Bíblia, como se a verdadeira fé disso carecesse.

Ao contrário de alguns afortunados por um tipo especial de dom de fé que não tenho, o meu tipo de dom de fé é daqueles que morre se a Bíblia não for eficaz nos propósitos para os quais apareceu. Sim, a minha fé depende de a Bíblia ser inteiramente verdadeira — é essa característica que também me torna realmente protestante (e realmente cristão!).

Ter uma fé que não depende da Bíblia é ter uma fé que depende da própria pessoa que a tem. Ora, ter uma fé que depende da própria pessoa que a tem é, como se está mesmo a ver, um tipo de mérito pessoal. A pessoa que continua a ter fé mesmo que a Bíblia seja uma coleção semi-inspirada de meias-verdades é uma pessoa que atinge um tipo de qualidade espiritual — é, de certo modo, um iluminado. É, se quisermos, uma pessoa que se salva dentro de si mesma e que não depende da verdade de nada externo a si.

Lamento, mas um fenômeno assim não tem nada a ver com o cristianismo. O cristianismo é uma fé inteiramente dependente de fatos externos à pessoa que crê. É por isso que os cristãos acreditam que são salvos pela graça de Deus, e não por nenhum processo pessoal de amadurecimento espiritual. Por isso mesmo, Paulo dizia que se os fatos externos às pessoas que criam, como, por exemplo, a ressurreição, não fossem verdadeiros, a fé era vã — uma real fantochada, por muito poética que pudesse parecer (o capítulo 15 da Primeira Carta de Paulo aos Coríntios serve para demolir qualquer esperança de fazer da fé um sentimento pessoal independente de fatos externos objetivos).

    Os cristãos protestantes lutam pela integridade da Bíblia porque sem ela a fé que têm não passa de uma convicção pessoal, um *wishful thinking*. Adaptando as palavras da Flannery O'Connor, ou a Bíblia é verdadeira ou para o inferno com ela (Flannery, como católica romana que era, aplicou essa ideia à transubstanciação). Isso não quer dizer que podemos defender a integridade das Escrituras de qualquer maneira — no cristianismo não deve haver hipótese de desonestidade intelectual nessa luta (afinal, não adianta tentar usar falsidade para defender a crença em Deus quando se lida com um Deus que abomina a mentira). Mas quer dizer que em qualquer discussão intelectual sobre a verdade da Bíblia está muito mais em causa do que apenas uma opinião — está em causa uma verdade que tem poder para tirar pessoas do inferno.

    Logo, é complicado o meu convívio com pessoas que se dizem cristãs mas vêm tranquilizar-me dizendo que a fé que elas têm permanece mesmo se a autoridade da Bíblia for lascada. Tais pessoas, dizendo-se cristãs, abraçam uma fé que nada tem a ver com o cristianismo, pelo menos, como ele é explicado na Bíblia (e é óbvio que há aqui uma lógica circular a funcionar: acredito que a Bíblia é verdadeira a partir do conceito de verdade que recebo da Bíblia — é por isso que a *sola scriptura* faz sentido). Esse cristianismo, que sobrevive internamente no espírito da pessoa ainda que a verdade externa não se verifique, é, na prática, uma fé autocriada que não depende de ser sustentada por mais ninguém que não a própria pessoa que decidiu crer. Ora, eu não sou cristão porque a fé que tenho depende de mim. Eu sou cristão porque a fé que tenho não depende de mim — é também isso que significa ser salvo pela graça. Sou salvo não por aquilo que faço por mim próprio, como, por exemplo, crendo além dos fatos serem verdadeiros. Sou, sim, salvo por aquilo que fora de mim foi feito por mim. Sou salvo por uma verdade independente de mim, e não por uma verdade subjetiva que eu crio. Não me autossalvo, sou salvo. Não sou eu que faço; é feito por mim. Supostos cristãos que se salvam além da verdade da Bíblia são pessoas que se autossalvam. E a autossalvação é a religião do Diabo, não de Deus.

Quando Jesus corrige a falta de fé de Tomé, por ter precisado apalpar as suas mãos furadas, Jesus não elogiou um tipo de fé que é independente da veracidade dos fatos. Esses cristãos que têm uma fé independente dos fatos querem dar uma de supra-Tomés quando na verdade são sub--Judas: o discípulo traidor é o símbolo de quem, quando não gosta dos fatos acerca do Salvador, inventa os seus próprios. A traição é o que acontece também pelo fato de Judas não suportar a direção do ministério de Jesus. Judas traiu Jesus porque, na incapacidade de louvá-lo num trajeto descendente em direção à morte, resolveu tornar a morte o lucro possível. Entre ter um ex-mestre morto e ter um ex-mestre morto com trinta moedas nas mãos, optou pela segunda. A traição é a capacidade de tirar proveito de algo que nos parece uma bancarrota.

Os supostos cristãos que continuam a ser cristãos independentemente de a Bíblia ser verdadeira são traidores como Judas porque, na aparência de a Bíblia não ser consistente, inventam dessa derrota uma vitória pessoal. A vitória pessoal dos traidores é que eles sobrevivem sempre quando morre quem depende de uma verdade superior a si mesmo. Jesus morreu porque não pensou em si. Judas sobreviveu porque pensou em si. A ironia é que essa sobrevivência é curta e, como com Judas, termina em suicídio. Creio que acreditar no cristianismo sem acreditar na veracidade que a Bíblia pede para si mesma é um suicídio — é o destino dos Judas desta vida.

Quando Jesus corrigiu Tomé, ele não lhe recomendou que o importante era seguir a verdade do seu coração, independentemente dos fatos palpáveis. Jesus corrigiu Tomé dizendo que a verdade dos fatos deve ser aceita além ainda da nossa capacidade de os verificar — "bem-aventurados os que não viram mas creram" (João 20.29). Os que continuam a crer independentemente da consistência da Bíblia são sub-Judas porque não veem nem querem ver, não acreditam nem querem apalpar. A fé que dizem ter é um desprezo por toda a realidade que não se baseie essencialmente no amor-próprio, que é uma das características reais dos verdadeiros narcisistas.

*No mesmo dia, telefonei para Fortaleza e
soube [...] que a polícia já andava atrás
de mim. Os portugueses estavam dados como
desaparecidos. Entrei em pânico e fiquei
sem saber o que fazer.*

> Luís Miguel Militão Guerreiro,
> *Morrer na Praia do Futuro*

9

Quase morrer no Brasil

Em comparação com Fortaleza, Belo Horizonte quase lembra a Europa. O centro da cidade tinha aquele tipo de irradiar-do-centro-para-a-periferia que não detectei tão facilmente no Nordeste. Fiz uma escala em Brasília e fiquei com pena de não parar lá. Alguns dos meus primeiros amigos brasileiros que desejaram que eu visitasse o Brasil são de Brasília. O Josaías, que agora estuda nos Estados Unidos, e o pastor Emílio Garofalo Neto (diz-se Garófalo) são homens que gostaria de abraçar (no caso do Josaías, voltar a abraçar). A ver se no futuro consigo parar em Brasília. Aquela arquitetura modernista mexe comigo.

 No recente aeroporto de Belo Horizonte, construído para as Olimpíadas (ou seria para o Mundial de Futebol?), esperava-me o Celso Mastromouro, que me acompanhou prontamente. Almoçamos bem porque recupero o apetite assim que o avião pousa. Fomos para o hotel e descansei para que ao fim da tarde repetisse as palestras que tinha apresentado em Fortaleza. O lugar delas era a Faculdade Batista de Minas Gerais, que, na prática, permite que uma criança entre no jardim de infância e saia na universidade — uma escola para se frequentar do início ao fim. No contexto evangélico português não há nada parecido.

Esse é um dos problemas que os cristãos evangélicos enfrentam em Portugal. Não há ensino privado religioso acessível aos bolsos da classe média. Aliás, mesmo que fosse para a classe mais privilegiada não haveria, na medida em que escolas cristãs evangélicas ainda são um rascunho aqui. Há aqui e ali uma tentativa, uma aventura, mas, pelo que sei, nada ainda pegou seriamente. Também é esse cenário que contribui para que famílias como a nossa, ainda que não descartassem totalmente a hipótese de colocar os filhos em boas escolas católicas, não o façam por falta de recursos (as escolas católicas em Portugal são para ricos — uma pequena traição de sua alardeada "opção preferencial pelos pobres") e optem pelo ensino doméstico.

Também devo dizer que, com uma vulgarização de escolas evangélicas, também ocorre um fenômeno que é uma adesão religiosa nominal dentro do próprio protestantismo. No Brasil é possível ser "batista" e ser uma bagunça de crente. Em Portugal, a rigor, também é, mas é mais improvável. Os batistas no Brasil são assim uma espécie de evangélicos respeitados (provavelmente como os presbiterianos) e deu para sentir que, apesar de amar a minha denominação, no Brasil ela cheira-me aqui e ali a um tipo de superficialidade que em Portugal gostamos de apontar nos católicos. Talvez seja da perda do p. Para ser sério, um baptista precisa de um p. Um p de "põe-te sério".

No início da primeira palestra em Belo Horizonte, o Celso teve a má ideia de perguntar quantos dos presentes tinham ouvido falar de mim. Imaginem num grupo de umas poucas centenas (duzentas pessoas talvez) haver seis mãos que se levantam. O que só assinalou a generosidade dos presentes. Estava a falar para pessoas que não faziam ideia de quem eu era. De certo modo, senti-me mais livre. Podia dizer o que queria sem correr risco de desapontar ninguém. Para ilustrar um ponto qualquer da palestra, comecei a falar sobre telenovelas brasileiras. Foi com algum choque que conclui que a maior parte daqueles jovens estudantes brasileiros não partilhava da minha paixão pelo assunto.

Lembro-me de que, nos anos 1980, quando um missionário brasileiro visitava nossas igrejas evangélicas, era sempre com algum choque que via os crentes portugueses felicíssimos da vida a correr para eles demonstrando um convívio profundo com as telenovelas brasileiras. Nós, portugueses saloios e deslumbrados com as glórias da tevê, julgávamos que era assim que criávamos uma linguagem comum. Horrorizados, os evangélicos brasileiros censuravam imediatamente (ou, numa versão mais polida, censuravam com a elegância que conseguiam) o mau hábito de um crente se permitir assistir àquele lixo moral. Hoje, trinta anos depois, acho que me alinho com os missionários.

As telenovelas brasileiras, com todos os seus méritos de produção, são de fato um lixo moral. Mas reconheço que não consigo separar-me emocionalmente de *Bem-Amado*, de *Guerra dos Sexos*, de *Vereda Tropical*, de *Roque Santeiro* e de *Tieta*, para os cinco exemplos mais fortes. Eu não seria a mesma pessoa sem essas novelas. Por isso, irmãos brasileiros, peço-vos: aceitai com a maior graça possível que, quando vos pregue o evangelho, acabe dando exemplos da sinistra Viúva Perpétua, ou do povo de Sucupira, ou do Luca que entrou para o Corinthians, ou do retrato que mudava de expressão, ou do brinco do Fábio Júnior que contribuiu para uns anos mais tarde eu furar a minha orelha.

Na tripla autógrafo-retrato-perguntas encontrei em Belo Horizonte o primeiro compatriota, o Tiago. O primeiro português que encontrei no Brasil! Pode parecer de mau gosto, mas é verdade: quando estás longe de casa, abraças o teu conterrâneo como se fosse da tua família.

Naqueles dias, o professor Wagno Bragança cuidou de nós e levou-nos à Igreja de São Francisco de Assis, do Oscar Niemeyer, na Pampulha. Pequena, mas bonita. Assim meio comuna, com aquele tipo de namoricos manhosos que o século 20 permitiu entre catolicismo e marxismo, mas ok — também é essa flexibilidade que torna as igrejas católicas tão capazes de refletir os tempos em que foram edificadas (o protestantismo, sendo mais austero, não se mete tanto em troquinhas emotivas com as tendências dos momentos).

Um dos pontos fortes de Belo Horizonte foi conhecer pessoalmente o Jonas Madureira. O Jonas Madureira está a acontecer! O Jonas é um jovem teólogo e pastor batista que, ao publicar seu primeiro livro, chamado *Inteligência humilhada*,[1] em menos de nada tinha-o no topo dos mais vendidos do país na área da religião. É gente finíssima. Culto, agudo, gentil — não contem com muitos Jonas a aparecer nos próximos tempos porque colheitas assim são raras. O Jonas acabou de chegar de avião e foi de propósito direto à minha palestra, para nos conhecermos pessoalmente. Tratou da parte do Q&A e fiquei desconsolado por não ter mais tempo com ele. Um gigante.

Calvário em Curitiba

Não gosto de voar. E ter de me levantar cedo de madrugada para voar tem o condão de mostrar que sou uma fraca espécie de homem. Infelizmente, quase todas as viagens que fiz no Brasil me punham a ter de me levantar de madrugada. Na madrugada em que fui de Fortaleza para Belo Horizonte, senti-me muito cansado ao acordar e quase sem voz. Quando cheguei a BH, sentia-me um pouco melhor, mas alguma coisa estava a acontecer no meu corpo sem que soubesse o que era. Nova madrugada, nova viagem. O Celso acompanhou-me e, solidariamente, depois de me ter deixado no aeroporto, apareceu uns minutos depois no *check-in*, confirmando que minha aparência devia denunciar uma declaração de total incapacidade física.

Cheguei a Curitiba com escala em São Paulo (foi isto, não foi?). À minha espera estava o Valdemar Kroker. O Valdemar e a Simone são bons amigos nossos. Nos

---

[1] *Inteligência humilhada* (São Paulo: Vida Nova, 2017).

últimos anos estivemos juntos nas Conferências Bíblicas do Acampamento Baptista de Água de Madeiros, em Portugal. O Valdemar foi uma espécie de cérebro e coração dessa viagem ao Brasil. De fato, a paragem em Curitiba era a parada mais familiar porque ali o plano nascia a partir do fato de estarmos entre amigos. É verdade que estaria em Curitiba a trabalhar, como nas outras cidades, mas em Curitiba eu estaria também a visitar os meus amigos, a família Kroker. Se alguma coisa tinha de correr mal, era o melhor lugar para correr.

Fiquei na casa da Simone e do Valdemar e, quando lá cheguei, foi como se estivesse em casa de tios. Viagem feita, apetite recuperado e reforço à refeição. Sentia-me especialmente bem, e nem a Simone permitiria outra coisa. Depois do almoço dei um cochilo, acordei com uma pequena dor nas costas e ao final da tarde passamos pela casa dos pais do Valdemar. A igreja dos Krokers é menonita, fruto de uma migração de alemães da Prússia direto para o sul do Brasil. Os menonitas fazem parte da família anabatista, em que a tradição de distinção entre a igreja e a sociedade costumava ser grande (os amish também fazem parte dessa grande família anabatista). Quando os menonitas se instalaram em Curitiba, viviam em comunidades separadas. Entretanto, a cidade cresceu e hoje não dá para sentir a distância. Mas os menonitas são ainda ciosos de sua cultura. Todos continuam a aprender a falar em alemão (num dialeto do alemão, a rigor), e é frequente terem suas casas em pequenos condomínios que, de uma maneira contemporânea, prolongam o rigor de manter um estilo de vida diferenciado (agora que o pessoal acha graça da "Benedict Option" do Rod Dreher,[2] valia a pena descobrir os menonitas brasileiros).

Imaginem por isso o quadro: região mais a sul da América do Sul; uma casa de família com avós, filhos, netos e bisnetos; fala-se alemão e português do Brasil; a comida é essencialmente germânica; os cabelos são loiros; a simpatia é a do sul do Equador. Uau. Não dá para tentar compreender isso com as categorias portuguesas. Não há categorias portuguesas que consigam atingir a largura do Brasil. O Brasil tem jogo demais para Portugal. Deus deu o Brasil a Portugal para que Portugal entendesse mesmo que o mundo pode ser muito maior do que julgamos.

No lanche ajantarado estavam também o Hari e a Connie (o Hari é irmão do Valdemar e a Connie é a esposa do Hari), que tínhamos conhecido também em Água de Madeiros. Gente igualmente finíssima, como todos os Krokers são. Fiquei de ir passear com eles no dia seguinte, um sábado, para conhecer melhor o centro de Curitiba. No final da refeição seguimos para a Igreja Evangélica Irmãos Menonitas do Boqueirão, onde dei a primeira palestra. No final da palestra, e depois de ter sido num intervalo amigavelmente encurralado por um grupo de barbudos tatuados que me convidou a conhecer a Igreja Gólgota, uma comunidade cristã onde só dá metal (chequem no YouTube!), sentia-me invulgarmente cansado. A dor nas costas tinha evoluído para uma dor no peito, e eu sentia arrepios. Aguentei a tripla autógrafo-retrato-conversa com algum esforço, mas

[2] *A Opção Beneditina: Uma estratégia para cristãos no mundo pós-cristão* (Campinas, SP: Ecclesiae, 2018).

procurei ir para o carro o mais rápido possível (uma pena, porque perdi a oportunidade de voltar à conversa com o Sandro Wagner, um amigo feito há anos através da internet que tinha acabado de se tornar um amigo concretizado em carne e osso). Pareceu-me responsável, tendo em conta os planos da noite do dia seguinte de nova palestra em forma de entrevista, cancelar o passeio com o Hari e a Connie. Afinal, se meu cansaço piorasse, era melhor guardar-me para, pelo menos, tentar cumprir o programa.

O que veio a seguir foi a pior noite da minha vida. Sei que sou um fracote, por isso tolerem meu exagero sincero. Quando fui para a cama, já automedicado com um paracetamol (acho), senti-me deitado num *scanner* gigante que começava pela cabeça e terminava nos pés. Era como se o *scan* avançasse e com ele avançava a pior onda de febre que já experimentei. Quando chegava à parte do peito, sentia-me a perder o ar. Pensei: "Deus, levei tanto tempo a chegar ao Brasil e agora compreendo por quê: é aqui e agora que me vais matar". Mas não morri.

A noite passou e as mudas de *t-shirt* sucederam-se porque transpirei naquela noite o que nunca tinha transpirado em 39 anos. Na manhã seguinte só tinha um pensamento: arranjem-me uma viagem de volta direta para Lisboa ou levem-me ao hospital. Ganhou a segunda.

Concentro-me no que me acontecia no Brasil, mas não falei ainda sobre o que acontecia em Portugal. A Ana Rute, que tinha ficado com as crianças, fizera uma pequena cirurgia dentária que, de relativamente simples, tinha passado a realmente complicado. No transplante de osso de um lugar para outro da boca, a recuperação tinha-se tornado um jejum longo em que as forças e os quilos se foram. Na maior ausência de vigor físico que já tinha experimentado, estava sozinha em casa com os quatro filhos, a milhares de quilômetros do marido. Tudo isso a acontecer quando ele lhe diz via WhatsApp: "Estou a morrer no Brasil — arranja-me um voo direto para Lisboa" (em primeiro lugar, porque sou um nabo que não sabe tratar de si, e, em segundo, porque a viagem de regresso planejada exigia-me uma escala de catorze horas em Nova Iorque).

O Valdemar, ao ver meu estado, arranjou modo de eu ser visto por um médico amigo. De origem alemã, o doutor que me viu espreitou a possibilidade de exaustão física, o que, bem vistas as coisas, não era despropositado, sobretudo tendo em conta o ritmo de palestras, a ansiedade pela distância da família, e o estresse provocado pelas viagens de avião. Receitou-me um antibiótico que comecei a tomar intercalado com anti-inflamatório.

Um dos prejuízos do meu pobre estado físico é que, no lugar onde mais poderia aproveitar a companhia de bons amigos brasileiros, a família Kroker, foi onde estive mais ausente. Arrastei-me para uma mesa de almoço cheia de comida e alegria, onde se congregavam os filhos da Simone e do Valdemar e o netinho, e aguentei meia hora, para em seguida regressar à cama. Era importante ver se conseguia estar capaz da palestra-entrevista na Igreja Evangélica Menonita de Curitiba, ali mesmo do outro lado da rua da Igreja Evangélica Irmãos Menonitas do Boqueirão.

Estava febril e entrei e saí à Elvis: direto para a mesa da entrevista, e da mesa da entrevista direto para o carro.

Custou-me porque havia amigos que tinham vindo direto que nem tive ocasião de saudar decentemente. Por exemplo, a família Santiago (a Neusa, o Carlos e o Jean) veio de propósito do Rio de Janeiro. Como se responde a uma generosidade dessas?

Uma das lições mais importantes que trouxe dessa viagem ao Brasil é que, se quisermos ser rigorosos, nunca conseguiremos nesta vida responder completamente à generosidade dos outros. Receber a graça dos outros é aceitar responder com graça, que neste caso passa por reconhecer que a nossa resposta é sempre demasiado incompleta. O que em graça recebemos, com graça devemos agradecer aceitando a finitude da nossa capacidade de retribuir. Como com a família Santiago: uma família voa de propósito na minha direção e o que recebe é um febril pregador que nem capaz de pregar estava. Nunca conseguirei retribuir.

Um recorde de sermões pregados

A noite seguinte não foi tão assustadora como a anterior, mas a febre não me largou. Fui para a cama com um copo de leite, uma torrada e uma banana na barriga. A Simone bem queria alimentar-me melhor, mas sou daquelas pessoas que quando estão doentes não conseguem comer. No domingo de manhã o Valdemar preparava-se para a possibilidade de me substituir nos quatro sermões que me esperavam.

Meu máximo português tinha sido pregar três sermões no mesmo domingo. Quatro era um recorde que estava por atingir. Quis o Senhor, em sua bem-humorada soberania, guardar-me a marca gloriosa de quatro sermões para o domingo mais febril dos meus 39 anos. Ajudou-me a sua misericórdia e a tomada alternada de antibióticos e anti-inflamatórios. Subi àqueles púlpitos com fé na palavra e confiança nos comprimidos. Num bolso a minha Bíblia de tamanho de canivete, e no outro a medicação. Só precisei de água e oração.

Os três primeiros sermões foram na Igreja Evangélica Irmãos Menonitas do Boqueirão, onde já tinha estado dois dias antes. O primeiro serviço de culto onde preguei era em alemão porque reunia principalmente as pessoas mais velhas que ainda falavam maioritariamente no dialeto germânico que tinham trazido da Prússia no início do século 20. O Brasil é um país indescritível. No sul da América do Sul e louva-se com a língua de Goethe. Como o meu alemão é quase nulo (aprendi dois anos no liceu), tive de pregar num português que depois era resumido e traduzido pelo Valdemar.

Preguei um dos sermões que faz parte do meu livro *Seis sermões contra a preguiça*.[3] Escolhi o sermão no livro de Amós que aponta a preguiça como uma manifestação de corrupção. Curiosamente, e apesar de ser um sermão incluído no livro, ele nunca tinha sido pregado ao vivo. Quando a série original dos sermões contra a preguiça foi pregada na Igreja da Lapa em 2013, esse sermão em Amós foi oferecido ao meu amigo Jónatas Lopes, pastor da Igreja Baptista da Graça, em Lisboa. Como naquela altura já pensava em editar os sermões em livro, tinha escrito o meu próprio sermão alternativo. Agora, quase quatro anos

---

[3] *Seis sermões contra a preguiça* (São Paulo: Vida Nova, 2017).

depois e após a impressão, finalmente aquele sermão era pregado. E quatro vezes no mesmo dia. Do único sermão por pregar do livro passou imediatamente ao sermão mais pregado do livro.

Em Portugal ainda é raro igrejas com o mesmo serviço de culto repetido. Nos Estados Unidos e no Brasil torna-se uma prática cada vez mais comum. Por exemplo, uma igreja recebe o primeiro serviço de culto às 9h30 e depois repete-o para um grupo diferente de pessoas por volta das 11h. Funciona. Em Portugal nem tanto, provavelmente porque somos um povo com problemas para acordar cedo no domingo. Tenho sonhado com isso na Lapa, mas ainda está no campo do sonho. Por outro lado, o fato de se repetir o mesmo serviço de culto não lhe retira qualquer ponta de autenticidade, como os mais temerosos podem recear. Pelo contrário, quando participamos do mesmo serviço de culto mais de uma vez, a tendência é que aquilo que é afirmado ganhe mais profundidade. A repetição é uma pedagogia fortíssima.

Imaginem-me então a pregar o mesmo texto quatro vezes. A rigor, nunca é igual. Talvez a última vez seja a melhor, mas nem isso é seguro. A palavra é viva e o Espírito é que dirige tudo. O segundo serviço de culto foi por volta das 11h e já era em língua portuguesa e com uma congregação mais jovem e animada. O louvor musical levou mais tempo. O terceiro serviço de culto foi à tarde e o acompanhamento musical era mais erudito, com uma parelha de cordas que dava um ar mais solene à liturgia. Nesse terceiro serviço de culto houve um batismo ao qual não pudemos assistir porque tivemos de seguir para o quarto.

O quarto serviço de culto foi na Igreja Evangélica Nova Aliança de Curitiba, uma comunidade moderna que às 19h30 reunia cerca de quatrocentas ou mais pessoas. Eu, com os parâmetros constantes de Portugal, pensava que, por ser mais tarde, talvez estivesse a falar para um grupo mais familiar e reduzido. No entanto, no Brasil é normal que os serviços de culto do final da tarde tenham tanta ou mais gente que os de manhã. Comparando e resumindo: os brasileiros estão sempre prontos para a igreja, seja a que hora for.

O serviço de culto na Igreja Evangélica Nova Aliança marcou minha última intervenção da viagem brasileira. Eu, que costumo esticar-me no tempo de pregação, fiquei-me apenas pelos 35 minutos, o que provocou que tudo acabasse mais cedo. Ainda passei um bom período a conversar com as pessoas da igreja, que, uma vez mais, me provaram que brasileiro que recebe é brasileiro que acarinha. Foram quase três semanas, nove sermões, catorze palestras, dez voos, sete camas. Estava mais morto que vivo, mas, de certo modo, nunca tinha estado tão vivo.

Ao regressar à casa da família Kroker, a minha mulher, a Ana Rute, conseguiu o milagre de um voo direto graças à Ana Rangel e ao Frederico, nossos amigos do Porto. O Frederico, um *frequent flyer*, investiu umas quantas milhas para que eu pudesse voltar diretamente de São Paulo para Lisboa — é apenas sinal de que quando os portugueses querem ser generosos, também o conseguem ser ao nível dos brasileiros. Claro que antes ainda tive o voo de Curitiba para São Paulo (curiosamente, o voo mais agitado por turbulência), depois de um pequeno-almoço com um grupo de homens menonitas da

Igreja do Boqueirão. Saí de barriga cheia do Brasil, mas com escassas palavras para exprimir a força com que aquela viagem me havia marcado.

Quando aterrei em Lisboa, achei muito estranho que não sentisse que nascia de novo. Geralmente é o que me acontece quando o avião aterra: é como se minha vida tivesse começado naquele momento, livre da treva que é andar lá em cima no céu, num lugar que claramente Deus não preparou para os seres humanos. Por isso mesmo, a única coisa que aprecio em voar é a injeção de alegria que me corre nas veias no momento em que as rodas do avião pisam na pista. Estranhamente, nada senti na ocasião que mais se justificava que assim me sentisse.

A Ana Rute estava à minha espera no aeroporto e dava para ver como tinha emagrecido à custa das complicações com a cirurgia que tinha feito. Ainda assim, e mesmo tendo em conta que estranhamente minha alegria não tinha disparado como de costume na aterragem, sentia satisfação de sobra ao reencontrar minha mulher. Abracei-a, pegamos minhas muitas bagagens e fomos para casa.

*Durante a noite, enquanto conduzia, algo
me chamou a atenção para o lado direito
da estrada. [...] As árvores que corriam do
lado direito transfiguravam-se em figuras
monstruosas, impossíveis de descrever. [...]
Cheguei à conclusão que algo inexplicável
me estava a atormentar. Tinha consciência
que as minhas capacidades físicas e
psicológicas estavam normais. Alguma coisa
de espiritual e estranho estava a perseguir-
-me ou a avisar-me de algum perigo.*

Luís Miguel Militão Guerreiro,
Morrer na Praia do Futuro

10

Quase viver em Portugal

Dois dias depois tinha o corpo coberto daquilo que até os médicos portugueses chamam agora de *rash*. Recordam-se daquela alergia que tinha aparecido primeiro num braço, e depois nos dois, em São José dos Campos? Pois bem, ela havia regressado e com uma vingança. Além de eu estar completamente coberto, tinha a língua, as orelhas, as mãos e os pés inchados — parecia um *hobbit* com varicela. Achamos que era hora de dar uma chance a um médico português para ter acesso ao triste espetáculo a acontecer no meu corpo e por isso a Ana Rute fomos para o pronto-socorro do Hospital São Francisco de Xavier.

Como chegamos no início da noite, apanhamos o Hospital já naquela dinâmica que não é muito diferente da de um barco que desatraca durante a noite — a pessoa fica na sala de espera como quem desce ao porão de um navio que não se sabe quando é que chegará ao cais. Imaginem, portanto, a distância de segurança que tomou o segundo médico que me viu (porque a primeira médica, com ar de vinte, trinta anos, rapidamente assumiu sua incapacidade para o meu caso), ao saber que tinha regressado há um par de dias de uma visita ao Brasil que tinha passado por cidades tropicais como Fortaleza. Expliquei que antes da viagem tinha tomado a vacina contra a febre amarela, mas, na cabeça daquele também jovem médico, juntar uma viagem ao Brasil ao meu *rash* justificava que falasse comigo a partir de uma segura distância de pelo menos três metros. O que nunca consola um doente.

Passamos a noite inteira lá, entre o desolamento e o abandono dos médicos para, depois da nossa insistência, revelarem finalmente que não tinham capacidade de tratarem o meu caso. Deveria voltar para casa e pela manhã ir ao Hospital Egas Moniz, ao departamento de Medicina Tropical. Voltou a passar-me pela cabeça que, se não morri naquela noite de Curitiba, talvez morresse agora em Portugal pelo efeito letal retardado do Brasil. A Rute e eu regressamos à nossa casa para tentar dormir um par de horas e, depois de levar as crianças à escola, ir para o hospital certo. Pela primeira vez na vida, parado num semáforo, adormeci ao volante. A Rute acordou-me e substituiu-me conduzindo. Nunca me tinha sentido tão fraco na minha vida toda.

No Hospital Egas Moniz, o médico que nos atendeu tinha um pequeno desfile de jovens estudantes de medicina com ele. Todas jovens moças. Tomei isso como mais um condimento no prato pouco doce que Deus me dava para provar. Tira a camisa, veste a camisa, põe a língua para fora, mete a língua para dentro, inspira, expira, enche o peito, esvazia o peito, e segue com o espetáculo porque, para além do doutor, há uma plateia feminina que tem a aprender com o teu pequeno calvário — Deus sabe santificar os seus filhos através de uma pequena dose de humilhação e exposição de um corpo que cada vez mais se aproximava de sua forma futura de cadáver.

Num registo mais próximo da ressurreição, fui informado pelo doutor de que a doença que tinha seria provavelmente dengue, mas também havia a hipótese mais remota de ser zika, ou chicungunha. O próximo passo era ir fazer um exame que determinaria com certeza qual dos males tinha. Esse exame, sendo caro, já não era coberto pelo Sistema Nacional de Saúde Português e impunha-me ainda, pelo menos, duas horas ou mais de espera. Como o doutor me informou também que, independentemente da doença, ela já estaria em período de remissão e sem capacidade de contagiar outros, ficamos mais descansados. E nessa ocasião a Rute recordou-se de algo que a minha cabeça doente tinha esquecido: temos um amigo que é médico e pastor, especializado em doenças tropicais — o pastor Joed Souza, que lidera a Terceira Igreja Baptista de Lisboa. Que tal ligar-lhe antes de nos expormos a um exame que pode ser dispensável e que nos custaria perto de cem euros?

Assim fizemos. Bendito Joed! Deus tem feito do pastor Joed um homem que chega nas minhas horas negras para abrir a janela e mostrar-me o sol. Liguei-lhe e ele confirmou o diagnóstico (sendo que o Joed é também brasileiro), e disse que esse tal exame posterior seria dispensável; o que precisava agora era ir para casa e descansar seriamente. A dengue já teria feito a parte mais fundamental do seu estrago e agora era esperar pela sua despedida. Voltamos para casa mais animados.

Uma cama em Seattle

Dou um salto cronológico. Passou meio ano e é outubro de 2017 e estou deitado numa cama em Federal Way, a alguns quilômetros de Seattle, nos Estados Unidos da América. Desde que regressei do Brasil e me recuperei da dengue, passei por várias experiências, em sua maioria novas:

- a maior parte do meu entusiasmo natural, que me acompanhou fielmente em 39 anos, desapareceu;
- comecei a chorar em momentos em que não havia grande justificativa para isso;
- envolvi-me mais com a organização City To City e, à custa disso, fiz uma viagem relâmpago de dois dias à Inglaterra;
- passei a evitar conversas ao domingo depois do sermão e a fugir de grandes convívios em que antes quem dominava a conversa era eu;
- descansamos por quase duas semanas em Cabanas de Tavira, no Algarve, com muito mar e poucos telefones ligados;
- passamos quase duas semanas de férias em Praga, na República Checa, visitando minha irmã Sara, meu cunhado Nuno e meus sobrinhos Joana, Júlia, Luísa,

José e Teresa, em dias emotivos porque somos gêmeos e nos últimos anos estamos distantes;
- a Rute e eu fomos a Swanwick, perto de Birmingham, participar de um congresso de missionários norte-americanos trabalhando na Europa, convidados pela família Bustrum que serve na Igreja da Lapa;
- e, entre muitas outras coisas que podiam ser referidas, a Ana Rute e eu começamos a ver *Breaking Bad*.

O ano de 2017 trouxe-nos um verão cheio que está a terminar com uma semana no Pacific Northwest norte-americano, em que uma Igreja chamada LifeWay, com quem ganhamos amizade nos últimos anos, nos convidou para uma pequena conferência internacional, a mim e à Ana Rute, à família Bustrum, e a um grupo de missionários de lugares como Indonésia, Tanzânia, México e Alasca. Apesar da generosidade do convite e do amor que tenho por aquela Igreja e pelos Estados Unidos, não queria estar ali. Minha intolerância a viagens de avião aumentou e durante os últimos seis meses comecei a sentir momentos de ansiedade que em 39 anos nunca tinha tido. Aquela parte dos Estados Unidos é incrivelmente bonita, o tempo está bom (o que não é assim tão comum no final de setembro), a emoção de vermos pela primeira vez o Oceano Pacífico na casa do Jeff e da Vivian, que com tanta gentileza nos receberam, foi grande, mas sou a pessoa errada no lugar certo.

Na cama do primeiro andar daquela casa fantasticamente encaixada em frente ao Oceano Pacífico, são perto de onze da noite, meia-noite. A Ana Rute acabou de adormecer, e eu não consigo. Meus pensamentos focam-se na distância imensa que me separa das nossas crianças, da Maria, da Marta, do Joaquim e do Caleb, e, por alguma razão, o rosto do Joaquim parece fixar-se na minha imaginação, como uma representação de tudo o que amo mas que não consigo ter à distância do meu braço. Começo a ter dificuldade em lidar com o que estou a pensar, e sinto o batimento cardíaco aumentar. Não tenho a coragem de acordar a Rute, que dorme tão descansadamente, até porque esta é apenas a segunda noite desde que chegamos e o *jet lag* ainda não desapareceu.

Levanto-me, vou à casa de banho, caminho um pouco pelo quarto e volto a deitar-me. Sinto-me pior ainda. Repito esses movimentos umas quantas vezes e não há melhoras. À falta de uma experiência assim anterior, passa-me pela cabeça que o que estou a sentir pode ser o que sentem pessoas que têm um ataque do coração. Afinal, sinto o batimento cardíaco mais acelerado, não consigo dominar os pensamentos, pelo menos na perspectiva de ter uma ideia clara acerca do que devo fazer, a ponto de nem sequer acordar a Rute porque não saberia justificar o que estava a sentir. Tudo isso começa a funcionar em espiral, num mal-estar físico que se mistura com a incapacidade total de dominar a mente.

A única resposta que consigo dar é a da oração. Mas uma oração muito distante das minhas habituais orações. Agora não consigo orar com estrutura, com o habitual espaço para a adoração, a confissão de pecados, a gratidão e a petição. Minha oração é agora uma oração no meio do furacão e, tal como ele, tende a imitar sua velocidade e sua circularidade. Dou comigo, ridiculamente deitado numa cama que, estando parada, parece flutuar nervosa num redemoinho mental que coloca todos os objetos da minha memória em voo descontrolado, e de olhos fechados repito: "Senhor, ajuda-me!". Como a circunstância não é aliviada pela minha oração, começo a orar algo um pouco mais além: "Jesus, faz-me sentir que estás aqui comigo!".

É curioso. Sou um cidadão português de quase quarenta anos, instalado com minha mulher numa casa confortável e elegante junto a uma vista incrível do Pacífico, num bairro residencial de classe média-alta. Apesar de ter gente ao meu lado, sinto-me sozinho como nunca me senti sozinho na vida. Apesar de ter boca para falar, sinto que de nada vale tentar dizer seja o que for às pessoas que partilham aquele lugar comigo. E tudo isso sublinha o que já referi: estou sozinho e só consigo pedir ajuda a Jesus. Qualquer outra solução, tendo provavelmente mais cabimento, parece-me impraticável. Estou desesperado e do que realmente preciso é que Jesus se faça sentir presente na minha angústia.

Sou pastor há dez anos. Sou cristão há cerca de trinta. Tenho respostas teológicas firmes para o desespero e tenho experiência suficiente de ajudar pessoas nesse estado. Mas há uma novidade a acontecer comigo naquela cama perto de Seattle: o desespero agora é meu, e com todas as respostas teológicas firmes que existem em mim, elas pedem algo mais que é ter a certeza de que Jesus está ali naquela dor que acontece num lugar estranho do meu corpo, que não consegue circunscrevê-la. E, por isso, volto a orar, uma vez mais: "Jesus, faz-me sentir que estás aqui comigo!".

Uma das certezas da minha vida é que Jesus não está em paradeiro incerto. Ele está sentado à direita de Deus

Pai, desde o dia em que subiu aos céus, na cidade de Jerusalém, fazendo um percurso único que, tendo começado na terra batida da Cidade de Davi, atravessou as nuvens da Judeia e terminou ao lado do Criador, como um campeão regressado à pátria. Outra das certezas da minha vida é que esse mesmo Jesus, campeão regressado à pátria, está com todos aqueles que creem nele e foram por ele chamados a pertencer ao seu reino através do Espírito Santo, Espírito esse que desceu para a terra batida da Cidade de Davi pouco depois de Jesus ter regressado ao céu. O Espírito Santo, que rendeu Jesus, sendo enviado por ele e pelo Pai, rapidamente alastrou a presença do campeão regressado a todo o Israel, aos países circundantes, a todo o Oriente Médio, a toda a Europa e, hoje, a todo o mundo. Esse alastramento da presença do campeão regressado é uma história tal que me envolveu a mim também, desde meados dos anos 1980. Estas duas certezas, de Jesus estar ao lado de Deus Pai no céu, e de estar em mim através do Espírito Santo, são provavelmente as certezas mais importantes da minha existência. Mas, por alguma razão, elas vão manifestar-se de um modo diferente nesse momento de desespero ridículo naquela cama de Seattle.

 Continuo desesperado, de coração a bater além do normal, de pensamentos desconexos em rotação máxima que quase me leva ao vômito, e com o rosto do meu filho Joaquim plasmando a minha dor e a esperança de um reencontro com a minha família dolorosamente distante. E a Ana Rute deitada ao meu lado, dormindo tranquilamente. Eu, incapaz de lhe dizer seja o que for, estou pior a cada segundo que passa e apenas peço que Jesus se faça sentir comigo. E, de repente, sem que o sofrimento daquele momento seja atenuado, tal acontece: tenho a certeza de que Jesus está comigo.

É uma certeza teológica, e, nesse sentido, é independente daquele momento de aflição. Mas, graças a Deus!, é agora também uma certeza que encontra aquele momento específico de aflição, ainda que não encontre adjetivo para descrevê-la, até porque não estou habituado a distinguir convicções teológicas de sentimentos, e não acredito em separar teologia da experiência. O fato é este: em nada o desespero daquele momento diminuiu, mas, junto com o desespero, está um sentimento que me consola que é o de ter a certeza de que Jesus está comigo. E, nesse sentido, sinto que posso dizer que nunca senti Jesus tão fisicamente presente comigo como naquela noite deitado numa cama em Seattle. Foi das piores noites da minha vida, mas foi também a melhor noite da minha vida.

Passado algum tempo, acabo por adormecer. Não levito, como que numa coroação de uma experiência mística. Não falo línguas estranhas, provavelmente o alfabeto dos anjos, como reconhecimento sobrenatural da persistência da minha fé no meio da tormenta. Não tenho uma visão de algo espiritual, difícil de descrever, como selo de uma prova de fé acabada de superar. Nada disso me acontece. Depois do sentimento de presença física de Jesus comigo através do Espírito Santo, sou devolvido ao cotidiano da minha existenciazinha, em que, estando fisicamente exausto, me cabe apenas a tarefa de adormecer. Assim acontece. No dia seguinte, e apesar de contar tudo à Rute pela manhã, tenho um dia normal pela frente. Jesus esteve comigo de uma maneira especial à noite, e agora o dia é tão banal como qualquer outro.

Ser amado é difícil

É antiga a ideia de que é preciso ir longe para aprender uma lição que já devíamos saber perto. Não é essa também a história da parábola do filho pródigo, no capítulo 15 do Evangelho de Lucas? Por que razão haveria de ser diferente comigo? Nesse sentido, as viagens de 2017 obrigaram-me a ir longe para ter de reconhecer algumas das minhas características mais elementares, características essas que só diante de uma grande mudança se revelam finalmente como uma fraqueza. Aplicando isso ao episódio da noite em Seattle, confesso que aprendi com ela que um dos meus pontos mais fracos é sentir-me amado. E isso oferece vários desdobramentos. O primeiro que quero fazer é mais impessoal, mais independente da minha própria história — sentir-se amado, sendo um ponto fraco meu, é um ponto fraco do meu tempo. O que quero dizer com isso? Contamos com demasiada facilidade que devemos ser amados.

Há um livro que escrevi há uns anos, chamado *Ter fé na cidade*, em que desenvolvo um pouco essa tese a partir do capítulo 13 da Primeira Carta de Paulo aos Coríntios. Aí, faço-o mais teologicamente, explicando que

> o amor não acontece por ser natural. O amor acontece porque é necessário. A existência de amor numa igreja não é um resultado de essa igreja ser boa, mas um resultado de essa igreja ser má. Como assim? A necessidade

de haver amor não é a cura, mas a doença. Precisarmos de amor não é, em sentido mais estrito, um fato positivo. Que o amor seja preciso parte de um fato negativo. O amor tem de existir para resolver a doença que é a sua ausência. A cura é, então, a muito urgente existência do amor. Logo, só é possível que haja amor numa igreja, quando essa igreja reconhece antes que é má.

O esforço era mostrar que quem se habitua a contar com o amor como um fato necessário, acaba mais longe dele. Pior ainda: as pessoas que se julgam amorosas são as piores. Escrevi à época:

> É irônico, mas as pessoas que se apresentam como naturalmente amorosas acabam por sugerir uma salvação por obras e não pela graça. Porque essas pessoas que se julgam naturalmente amorosas creem que é a qualidade inata dos seus gestos que demonstram o melhor que existe, quando o que a Bíblia afirma é o contrário. [...] a mecânica do amor não repousa num bom sentimento que seja natural a qualquer ser humano, mas numa atitude externa a nós que é praticada pelo sacrifício que Deus fez, dando o seu Filho Jesus por nós. Fazendo uma relação direta muito dura: se as pessoas fossem naturalmente boas, não precisariam ser salvas — quando muito, precisariam ser reprogramadas à sua bondade original. Pessoas que não são naturalmente boas é que precisam de ser salvas. O amor condiz com pessoas perdidas. Pessoas que "se acham" não precisam do amor para nada.

São os momentos em que nos sentimos perdidos que genuinamente podem introduzir em nossa existência uma certeza contraintuitiva de que somos amados. No cristianismo, o amor não é o desenvolvimento de nada humanamente natural. Se o amor fosse o desenvolvimento de algo humanamente natural, então seria mecânico e não estaria dependente da iniciativa divina. Deus não nos ama porque, sendo amoroso em sua natureza, não tem como não nos amar. A Bíblia conta-nos uma história um pouco mais complexa em que o amor entre Deus e seu povo sofre o teste contínuo do confronto. Deus ama-nos porque decidiu amar-nos e essa decisão, à boa moda hebraica, acarreta sempre trabalho. Como canta o Bruce Springsteen: *"I'll work for your love, dear"*.[1]

O trabalho de Deus amar-nos, consequência da vontade que ele livremente sentiu em querer atingir-nos com um amor que já existe desde toda a eternidade dentro da Trindade, saldou-se na encarnação de Jesus, que implicou uma morte em sacrifício na cruz, uma ressurreição e uma ascensão. Os cristãos sabem que Deus nos ama, não tanto porque Deus nos criou, mas os cristãos sabem que Deus nos ama sobretudo porque Jesus morreu por nós. Nesse sentido, o amor é mais provado por circunstâncias negativas, e não por sentimentos estáticos. É um paradoxo exigente, mas que combina perfeitamente com o fato de um pastor semiquarentão precisar se sentir aflito

---

[1] "I'll Work For Your Love", do álbum *Magic* (2007).
  Tenho, junto com os amigos com que formei a editora FlorCaveira, uma trindade musical sagrada: Bob Dylan, Johnny Cash e Leonard Cohen. Logo em seguida vêm Bruce Springsteen, Tom Petty, Lou Reed e Tom Waits. Não me parece recomendável uma existência que não tenha amparo nas palavras e canções destes homens.

longe de casa para sentir o amor de Jesus como nunca antes havia conseguido sentir.

Há anos que prego o amor de Deus. Há anos que prego o amor de Deus também porque sei que Deus me ama. Mas foi preciso aquela noite tragicómica em Seattle para provar o amor de Deus por mim com uma nova firmeza. Reparem no contraste: foi necessário sentir uma grande angústia, como até então nunca tinha sentido, para poder provar do amor de Jesus por mim, como até então nunca tinha sentido. Contamos com demasiada facilidade que devemos ser amados, mas vamos sentir-nos amados sobretudo na dificuldade. Também por isto, o amor é menos um ponto de partida e mais um ponto de chegada.

Patti Smith, a teóloga

Se Deus fosse obrigado a amar-me pelo simples fato de ter-me criado, então a minha existência seria a minha própria salvação. Se pudermos estabelecer uma ligação necessária entre Deus criar pessoas e Deus amar pessoas, então naturalmente todas as pessoas que existem não precisarão ser salvas, porque o fato de elas existirem é sinal de que Deus as ama. Seguindo esse raciocínio, tornar-se-á incompatível Deus não salvar quem ama, e prossegue que não é possível compatibilizar a crença num Deus que ama tudo o que cria com a crença na existência do inferno. Certo?

O problema é que dificilmente a Bíblia opera segundo essa lógica. A Bíblia não assume que Deus criar uma coisa é necessariamente Deus amar essa coisa que criou. Por isso, ficamos sempre impressionados com os textos que dizem escancaradamente que Deus amou umas pessoas e aborreceu outras (e esses textos acontecem tanto no Antigo como no Novo Testamento). A lógica da Bíblia parece ser que, por Deus ser livre, ele tem liberdade para poder não amar o que cria. Se a criação obrigar o Criador a amá-la, então a criação se tornaria o verdadeiro Criador, exercendo um ascendente moral sobre ele. Apesar de ser uma antropomorfização (procurarmos entender Deus comparando-o ao homem), o mesmo sucede conosco em relação ao nosso trabalho: nem sempre gostamos do que fazemos e somos mesmo capazes de rejeitar coisas às quais dedicamos empenho. Um artista é capaz de pintar um quadro e sentir-se livre para, depois de acabado, reconhecê-lo como uma obra falha.

Por outro lado, se Deus for obrigado a amar tudo o que cria, o amor deixará de ser algo que se compreende a partir da liberdade para passar a ser algo que se compreende a partir da compulsão. Colocando a questão de um modo bruto: que raio de amor é que Deus tem por mim se ele for obrigado a amar-me? A Bíblia diz que Deus é amor, o que não significa que o amor é Deus. O amor serve para descrever quem Deus é, mas o amor não limita quem Deus é — se assim fosse, teríamos, de fato, de dizer que o amor era Deus. O amor parece tornar-se mais emocionante quando é observado como uma característica livre e não necessária — Deus ama porque quer e por isso o amor é especial, não obrigatório. E também é isso que torna realmente especial o mandamento cristão de amarmos os nossos inimigos — não os amamos porque é natural amá-los; pelo contrário, somos chamados a amá-los porque devemos usar a liberdade extraordinária que Deus nos dá para o fazer.

Claro que, em termos lógicos, alguém pode perguntar: mas não é possível que Deus seja alguém com a capacidade de amar tudo o que faz? Certamente. Mas o problema da tensão entre liberdade e necessidade continuaria e, sobretudo, persiste o problema de os textos bíblicos não se incomodarem por não estabelecerem uma lógica dessas. Vejamos um exemplo rápido e clássico, sobretudo na memória dos cristãos evangélicos: João 3.16 diz que "Deus amou o mundo de tal maneira que deu o seu Filho unigênito, para que todo aquele que nele crê não pereça, mas tenha a vida eterna". A questão é que o mesmo evangelista João diz (em 1João 2.15) que quem ama o mundo é porque o amor de Deus Pai não está nele, revelando assim que não se contradiz, mas que o sentido da palavra "mundo" em João 3.16 não é o mundo no geral, com tudo o que tem, mas o mundo enquanto tudo o que será regenerado por Deus.

É quando o amor acontece por uma decisão dentro do próprio Deus que ele pode ser realmente extraordinário: por alguma razão, Deus ama-me! Mais, a Bíblia explica que razão é essa. Deus ama-me não por causa de mim, mas Deus ama-me por causa dele próprio. Deus ama-me através de uma atividade dentro da própria Trindade. Deus Pai ama-me porque Deus Filho garante uma ligação entre a plenitude divina e a finitude humana por meio de sua morte expiatória, acesso esse experimentado mediante o Espírito Santo. Deus não nos ama porque somos criaturas espetaculares. Deus ama-nos porque ele é espetacular.

Muito sucintamente, são as pessoas que sabem que Deus não é obrigado a amar-nos pelo simples fato de nos ter criado que terão vontade de louvar aquele onde o amor está baseado: Jesus Cristo. Pessoas que acham que Deus tem de as amar não perdem tempo a agradecer a Jesus — perdem, sim, tempo a murmurar contra Deus sempre que o amor que lhes é devido não é sentido na medida que acham apropriada. Nesse aspecto, a frase da canção de Patti Smith é certeira: "Jesus morreu pelos pecados de alguém, mas não pelos meus".[2] Afinal, se Deus for obrigado a amar-me, por que é que tenho de me

---

[2] Trecho de "Gloria (In Excelsis Deo)", do álbum *Horses* (1975).
A Patti Smith de hoje está mais mansa e provavelmente mede melhor as palavras. Até já é capaz de cantar para o papa. Ainda assim, a linha citada é, na história da nossa arte popular recente, das mais coerentes em relação ao assunto da salvação. Ao tocar no assunto de Deus ser livre para não amar tudo o que cria, meu propósito não é polêmico. Meu interesse ao afirmar de um modo tão veemente a liberdade divina de poder não amar o que é criado não é enfatizar em Deus arbitrariedade ou até capricho. Meu ponto é outro: como Alvin Plantinga explica em *God, Freedom, and Evil*, "O fato de que o teísta não sabe por que Deus permite o mal é, talvez, um fato interessante acerca do teísta, mas por si só revela pouco ou nada de relevante para a racionalidade da crença em Deus" (Grand Rapids, MI: Eerdmans, 1989). Creio que o modo como apressadamente construímos dependências entre amor e liberdade acaba por ser um tiro no pé: diz mais acerca da nossa incapacidade de compreender o mundo além de nós, do que do nosso conhecimento eficaz de um mundo que é real independentemente da nossa capacidade de o compreender. No fundo, a arbitrariedade e o capricho são mais os nossos quando teimamos que Deus só pode ser Deus se corresponder ao nosso conceito do que o amor deve ser. É precisamente por Deus ser livre que pode amar e não amar. Simplificando muito: parece-me filosoficamente mais seguro conhecer Deus e a partir da sua revelação a nós formar ideias acerca do que o amor é, do que a partir das minhas ideias acerca do amor afirmar o que Deus deve ser.

arrepender dos meus pecados? Não faz sentido arrepender-me porque, nessa lógica, o trabalho de Deus é colocar o tão fundamental e obrigatório amor acima de qualquer coisa, inclusive do detalhe de eu fazer coisas erradas. Deus ter de amar tudo o que faz leva-nos a achar que todas as coisas más que fazemos podem, em último grau, acabar por ser boas. Isso é uma forma de panteísmo, em que tudo é Deus. De cristianismo tem pouco.

Eu sou o Diabo

Além de contarmos com demasiada facilidade que devemos ser amados, temos outro problema: mesmo quando amados somos, não nos satisfazemos com esse amor. Esse foi outro vício que em grande parte reconheci nos últimos dois anos, e com a cama de Seattle em particular. Isso significa que nos sentimos mal até que sejamos amados, mas significa também que, mesmo quando somos amados, sentimo-nos mal. Somos maus por dentro e por fora. Por isso, precisamos mesmo de um Salvador que nos ame, mas também precisamos que ele nos salve de sermos amados demais.

Depois das angústias vividas no Pacific Northwest, tive tempo para refletir sobre esta chegada estrondosa da crise da meia-idade à minha vida. E recordei o meu passado em busca de algumas pistas. Não tanto por reflexo psicanalítico, mas mais porque a ética judaica sabe que não há real compreensão da existência sem um mergulho na memória. A memória é uma disciplina espiritual para todos os que creem num Deus que existe fazendo coisas, coisas essas que ocupam um lugar numa linha histórica que precisa, dentro da nossa mente, de um encaixe cronológico. A psicanálise corre o risco de idolatrar a memória, oferecendo-lhe uma chave gnóstica de compreensão da identidade, quando, na verdade, o papel da memória não é apenas revelar quem somos, mas dar mais a conhecer da identidade do Deus que na história se revela.

Em minhas memórias mais remotas, reconstituo uma infância feliz onde sempre me senti amado. Minha família sempre me soube transmitir que era amado. Era amado pela minha mãe, pelo meu pai (apesar de a disciplina que ele corretamente me impunha me obrigar a ter um conceito de amor que ia além da meiguice), pelas minhas irmãs, e pelo resto da família e amigos. É verdade que também consigo reconstituir que, em comparação com a minha irmã gêmea, a Sara, que era mais extrovertida que eu quando éramos miúdos e, nesse sentido, mais reconhecida em sua bonita exuberância, eu era um rapazinho calado e com pouco brilho social a apresentar. Mas não me recordo que isso se tornasse um problema então.

Anos mais tarde, e ainda no contexto da estabilidade de uma família que garantia em mim um sentimento de ser amado, comecei a experimentar exprimir-me junto das pessoas de uma maneira que extraía delas algum reconhecimento. Não era pela minha beleza (e ainda hoje sou razoavelmente ressentido por não ter nascido bonito), não era pela minha extroversão natural, mas era mais pela minha expressão oral. Do rapazinho calado, saía um rapazinho menos calado que por meio do discurso obtinha alguns resultados sociais interessantes. Comecei a dizer coisas com graça. Comecei a ganhar alguma capacidade de persuasão. Lembro-me de que na

Escola Primária, já não sei bem a que pretexto, minha turma elegeu-me como líder. É verdade que eu continuava a preferir ser eleito como o mais bonito, mas ser eleito como líder era um prêmio de consolação razoável. Junto com essas propriedades de persuasão, algum jeito para o desenho também ajudava a tornar-me um miúdo que, nas turmas que integrava, de modo algum brilhava nas primeiras aparências, mas que, após algum tempo de convívio, tinha sentido de humor para poder ser aprovado pelos *nerds*, ao mesmo tempo que tinha traço para copiar os logotipos dos nomes das bandas de *heavy metal* idolatradas pelos *bullies*. Minha boca fazia-me saber conviver com gregos e troianos. Paralelamente, as notas, que eram boas, punham-me ainda em boas graças com os professores. O rapazinho de origem introvertida ia tornando-se um adolescente com capacidade de nadar em qualquer água, sobretudo a partir de uma socialização firmada num discurso ágil que rolava nos pisos mais diversos. O que é que isso significava no meu coração? Não somente me sentia amado pela família, como também me sentia amado pela generalidade das pessoas à minha volta, na escola, e nos lugares fora de casa (como era, fulcralmente para a minha experiência, também a igreja). Fui habituando-me a sentir-me amado.

 O problema é que boa parte das pessoas que se habituam a sentirem-se amadas, em vez de se darem por satisfeitas e gratas pelo amor que sentem vindo dos outros, são tentadas a querer que esse amor aumente, estendendo-se basicamente a todas as pessoas que ainda não nos amem. Passa a existir o risco de querermos ser amados além da medida que devia ser suficiente. O amor tende a ser tratado como um porto espiritual seguro. Mas o amor é o lugar mais perigoso do mundo. O amor é uma coisa tão espiritualmente perigosa que há anjos que se revoltam contra Deus por não estarem satisfeitos com o amor que dele já recebem. A história de Satanás é a história que mostra como o amor é a coisa mais perigosa para a nossa alma. Nosso problema hoje é que, como passamos a acreditar no amor da maneira errada, como se ele fosse um porto seguro, ignorando que o mal dentro de nós pode perverter nossos sentimentos de amor, deixamos de acreditar no próprio Diabo. Há uma proporção reveladora que tendemos a ignorar: quanto mais uma cultura idolatra o amor, menos acredita no Maligno. Uma cultura que idolatra o amor é a receita perfeita para uma cultura realmente satânica.

Tenho a certeza de que o Diabo existe porque, por acreditar em tudo o que as Escrituras afirmam, sei também por experiência que o Diabo se comporta como eu mesmo me habituei a comportar. O Diabo é alguém que nunca está satisfeito com o amor que recebe. E essa é a tentação que ele aplica a qualquer ser humano, e a mim mesmo com um sucesso assinalável. No meu caso, quanto mais reconhecido pelos outros era, enquanto adolescente meio esquisito mas com capacidade retórica de satisfazer os tipos sociais mais opostos, mais amado queria ser. O amor que sentia deixava de ser sentido à moda de Deus, para o contentamento, e passava a ser sentido à moda de Satanás, sempre insatisfeito e sempre à procura daquele outro que ainda não exprime que me ama.

O mal que Satanás sentiu dentro de si, de querer ser igual a Deus, é também o mal de querer ser amado por todos. Só Deus pode exigir ser amado por todos porque só Deus é o Criador de todos e só ele pode estar numa posição em que todos o devem amar porque todos lhe devem a existência. Alguém que é criado por Deus só precisa realmente ser amado por Deus; querer ser amado por todos, como apenas Deus pode querer ser, é não nos satisfazermos do amor que é suficiente para nós que é o amor que Deus nos tem. A tentação à qual Satanás cedeu, de querer ser como Deus, pedindo que todos o amem, é a mesma tentação que ele estende a todos os seres humanos, e a mim em particular. Eu sei que o Diabo existe porque o que eu sou reproduz o pior que existe e que com ele começou.

Quando leio a tentação de Jesus por Satanás no deserto, no capítulo 4 do Evangelho de Mateus, leio a história da minha vida. Satanás vem e tenta Jesus sempre com coisas boas. Não somos tentados por coisas más: nem nós somos assim tão estúpidos, nem, menos ainda, é o Diabo estúpido. Jesus tem fome e o Diabo oferece-lhe pão a partir das pedras. Jesus resiste. Depois, o Diabo sugere-lhe que se lance do alto do templo para uma demonstração extraordinária do amor de Deus, que o livraria miraculosamente do mal. Jesus volta a resistir. Ou seja, a primeira tentação é uma de nos sentirmos amados através das coisas naturais da vida, como o pão; a segunda tentação é uma de nos sentirmos amados através da intervenção sobrenatural divina. Até agora, tudo o que o Diabo sugere a Jesus é aparentemente ótimo. Só na terceira tentação, em que Jesus é convidado a, tendo diante dos olhos todos os reinos do mundo, adorar a Satanás, é que percebemos que o Diabo não está interessado em satisfazer-se das medidas de amor que já sugeriu a Jesus, vindas das coisas naturais da vida e da intervenção sobrenatural divina, mas está, sim, interessado em ser amado como apenas Deus pode ser amado, em forma de adoração. Sempre que tomamos ser amados como ser adorados, ficamos tal e qual o Diabo. Para seres criados, querer ser adorado é levar o amor aonde ele nunca quis estar. Jesus resistiu de uma vez por todas, e o Diabo desistiu.

Esse cenário, que só é terrível quando olhamos espiritualmente de um modo sério para ele, é um cenário que parece amoroso. O Diabo sugere coisas aparentemente amorosas. Só o terceiro assalto desmascara o gás tóxico de querer um amor maior do que a medida que nos cabe. Querer ser amado demais é ser como o Diabo. Querer ser amado demais é querer ser adorado, como apenas Deus pode ser adorado. E a verdade é que desde a adolescência se desenvolveu em mim a mesma dinâmica que operou na tentação de Jesus por Satanás no deserto. Quanto mais amado queria ser, mais perto fiquei de um desejo envenenado que nos consome por dentro e que nos leva a uma morte interior porque aprendemos a viver insatisfeitos diante do amor que já recebemos.

A pessoa mais amaldiçoada não é a que vive diante de coisas más. A pessoa mais amaldiçoada é que vive insatisfeita diante das coisas boas. Essa é a história da queda de um anjo, e essa é a história da queda de todos os seres humanos. É a história da queda de Adão e Eva, e é a minha história. À medida em que vinham a infância, a adolescência, a juventude e a maturidade, o meu coração encantava-se com o amor que conseguia extrair dos outros, mas rapidamente se insatisfazia com ele e procurava novos domínios onde outros, até então distantes de mim, pudessem reconhecer-me e amar-me. Não há limites para a perdição de uma alma que se embriaga com o desejo de querer ser amada pelos outros. Isso aconteceu-me no início da vida adulta com o fenômeno dos blogues na internet. Sempre gostei de escrever, mas tinha uma noção realista de que seria improvável ser um escritor lido por muitos. De repente, e com o fenômeno português da sensação dos blogues nos anos de 2003, 2004, o blogue que criei, chamado *Voz do Deserto*, passou a dar-me leitores, muito além das minhas expectativas mais otimistas. Era lido, e era lido por pessoas da imprensa que eu lia. Fiquei deslumbrado. Grato? Nem por isso. O processo desenvolve-se no oposto da gratidão: já que estes me leem, aqueles outros também me deviam ler. A insatisfação e a ambição não têm fim, e as minhas expectativas agigantavam-se (só pelo fato de ter casado com uma mulher que me ama como a Ana Rute me ama, tarefa nada fácil, acreditem, deveria ser suficiente para que me sentisse completamente satisfeito — mas a satisfação é um órgão humano demasiado frágil).

Voltou a acontecer-me nos anos de 2008, 2009, 2010, agora à custa da música. A editora discográfica que fundei em 1999 com alguns amigos, chamada FlorCaveira, caiu nas boas graças da crítica musical e em alguns ouvintes atentos, e eu, que julgava que seria a vida toda um músico frustrado pela falta de reconhecimento, rapidamente me recompus para uma nova meta: já que agora tantos me reconhecem, todos os outros devem reconhecer-me também. O ressentimento do passado, por não ser reconhecido literariamente, ou por não ser reconhecido musicalmente, de imediato se converteu em fome pelo reconhecimento que até então havia sido tomado como improvável, mas agora que o improvável aconteceu, é obrigatório que ele vá ainda mais além. É assim que o Diabo se sentiu, e é assim que os pecadores como eu se sentem. Se num primeiro momento há a lucidez necessária para considerar improvável que o mundo tenha de reconhecer nossas qualidades, num segundo momento, em que esse improvável aconteceu, em vez de existir uma genuína gratidão e um consequente contentamento, acontece o inverso: agora que o improvável aconteceu, ele torna-se obrigatório a todos. Esta é a maneira diabólica como muitos, como eu, insistem em ser amados: já que alguns me amam, todos têm de me amar.

Por que não assumimos mais facilmente que sentimentos dessa espécie criam raízes na nossa alma? Porque eles são tão estúpidos que os assumir significa reconhecer o ridículo no mais elementar da nossa identidade. E, infelizmente, a pobreza espiritual da nossa época também é a incapacidade dos mais sérios em assumir o seu ridículo fundamental. Os santos recentes são demasiado sensatos para poderem ser sinceros. Os santos de antigamente não tinham medo de ser sinceros, e eventualmente ridículos, e por isso podiam mesmo ser sensatos. Quanto a nós, estamos tão entrincheirados na tarefa de nos mostrarmos sensatos que mascaramos o ridículo da nossa alma com virtudes quaisquer. Por que falo nisso de uma maneira tão abrutalhada? Porque me tornei especialista na tarefa de me embriagar no reconhecimento dos outros e de desejar mais reconhecimento ainda. Como em qualquer processo de embriagamento, a cura passa por assumir a ressaca e mudar de bebida.

Uma pessoa que se vicia em reconhecimento vive em busca de novo e maior reconhecimento. É um toxicodependente. No fundo, não vive satisfeita nesse reconhecimento, mas ansiosa por um novo. Como em qualquer atividade da ansiedade, a pessoa fica exausta, porque a ansiedade por atingir novos graus de reconhecimento apenas revela que o amor que já sentimos não é suficiente para nos segurar. Somos amados, mas vivemos inseguros. Julgamos, ainda que inconfessadamente, que a segurança virá se atingirmos novos graus de sermos amados e reconhecidos por mais pessoas ainda. No fundo, não vivemos em função de sermos amados, vivemos em função de uma busca incessante por amor. Comportamo-nos procurando novos níveis de aprovação dos outros. Tornamo-nos rigidamente persuasivos porque precisamos convencer os outros a amarem-nos, e não sabemos lidar com a divergência, ou com qualquer reserva que uma pessoa demonstre em não nos reconhecer do modo que idealizamos. Como querer ser amado é o centro da nossa vontade, vamos, diante dos obstáculos naturais a que tão estapafúrdia vontade se cumpra, reagir com obstinação e, finalmente, esgotamento. Foi o que Deus fez comigo nos últimos tempos, no Brasil e naquela cama de Seattle.

Com décadas a alimentar o desejo de ser reconhecido, o Brasil ofereceu-me novas fronteiras para ele. O Brasil é enorme e lá o meu nome pode crescer muito, muito além das pequenas fronteiras portuguesas. Minha viagem ao Brasil deu-me aquilo que é a única coisa que consegue parar um pecador em embriagada busca por mais amor: uma espécie de coma alcoólico em forma de esgotamento físico e psicológico. É como se Deus me dissesse: "Queres ser amado e reconhecido por muitos mais ainda? Pois vou concretizar esse teu desejo". No primeiro capítulo da Carta de Paulo aos Romanos, já nos é dito que a pior forma de Deus nos tratar é dar--nos o que desejamos. Foi isso que me aconteceu. Deus, ao concretizar o desejo do meu coração, mostrou-me o quão inadequado o meu coração era. No final das noites em que pregava ou palestrava no Brasil, chorava sem saber. Mas chorava porque sabia que tudo aquilo que estava a atingir, tendo sido desejado tão intensamente por mim e tendo sido também resultado de um trabalho legítimo, era imerecido. Eu estava a querer ser amado além do amor que Deus já me dava, e isso só provava o quanto errado eu estava. Deus concretizou os meus sonhos para me provar que eu estava longe dele. Tudo isso é irônico porque, para todos os efeitos, sou um pregador do evangelho. Mas tudo isso é uma mistura da história do filho pródigo com a história do profeta Jonas. É possível estar a cumprir uma missão de Deus com o coração do Diabo. E isso só se cura com um regresso ao Pai.

    A surpresa é a tal que conhecemos da parábola do filho pródigo. O Pai recebe-nos, ao contrário de tudo o que merecemos. A surpresa da experiência da cama em Seattle é que naquele momento senti que Deus me amava, e isso foi escandaloso. Como é que Deus pode continuar a amar-me sendo eu o escroque que sou? O amor é tão central no cristianismo porque o amor no cristianismo consegue mesmo derrubar o mal dentro de nós. O amor não esquece o mal. O amor destrói o mal. O amor é a cura porque mata a doença. A minha doença, de querer ser amado e reconhecido além do que é devido, começou a ser especialmente tratada desde o esgotamento do meu corpo, da minha cabeça, e do meu coração. Deus começou a ajustar contas comigo, e fez isso ao garantir-me a presença amorosa de Jesus no meio da minha angústia. Sou um pecador derrubado, em reconfiguração pessoal para me satisfazer do verdadeiro amor de Deus e rejeitar a intoxicação tão eficazmente satânica de querer ser amado e reconhecido por todos.

A tristeza de exigir ser amado

O que escrevo, de um modo tão febril e com jeito de condenado a confessar-se antes da injeção letal, foi dito com mais clareza e beleza por Agostinho, em suas *Confissões*: "Será que esta [...] espécie de tentação também já cessou para mim, ou será que ela pode cessar durante esta vida, esse desejo de ser temido e amado pelos homens, pelo simples motivo de alegria que nisso nos proporciona, que nem é alegria? Lamentável é esse tipo de vida, uma vergonhosa ostentação!".[3]

Querer ser amado pelas pessoas pode ser um caminho certo para a tristeza — Agostinho sabia-o e aprende essa lição todo aquele que vive, com mais ou menos

---

[3] Agostinho, *Confissões* (São Paulo: Mundo Cristão, 2017).

Agostinho é necessário porque é, talvez, o pensador que em toda a história da humanidade melhor afirmou que a verdadeira filosofia é doxológica. Se não estamos a ser conduzidos ao louvor, não estamos a ser conduzidos ao verdadeiro pensamento.

consciência, ansioso por uma alegria que projeta na adoração que os homens podem dar-nos. O Diabo e muitos de nós ainda perseguem essa realização, não se cansando de procurarem mais amor dos homens. No entanto, outros tantos conseguem, pela graça de Deus, receber a pancada inesperada de, ao atingirem mais amor dos homens, compreenderem que ele não dá a alegria que julgávamos. Fomos amados, amados e amados e, subitamente, desce sobre nós um sentimento de inadequação que nos esclarece que o único que está em posição para receber amor crescente e contínuo é Deus. Nós não somos Deus, e por isso a dose de amor de que precisamos é diferente.

Fundamentalmente, precisamos ser amados por Deus e mais ninguém. Se, consequentemente, formos amados por alguns seres humanos, tanto melhor. Não foi por acaso que Jesus fez do amor que sempre teve com Deus Pai, através do Espírito Santo, uma razão para amar seus discípulos e explicar-lhes que, agora, eles deviam também amar-se uns aos outros. Mas o único amor que funciona como oxigênio para nossos pulmões é o de Deus. Todo outro pode até dar a ilusão de respiração, mas torna-se tóxico depois.

O amor é a coisa mais perigosa do mundo. Encontrado no lugar certo, em Deus, salva-nos. Encontrado no lugar errado, põe-nos no inferno. Talvez um dos elementos mais tóxicos da vida moderna é ter feito do amor um bem em si, independentemente do uso que a alma lhe dá. A maior parte das pessoas que se condena para toda a eternidade não é necessariamente porque odiou muito, mas porque amou mal. Satanás não se especializa tanto em *hate speech* como em histórias de amor levemente apodrecidas. É aí que o negócio dele nunca falha.

Um dos maiores perigos que nos cerca é o amor ser uma das especializações de fingimento de Satanás. Nós, que deixamos de acreditar no Diabo, acreditamos no amor sem calcular que o amor, crido da forma errada, é uma porta de entrada para a ação satânica em nossa vida. Vivemos tão obcecados por sermos o mais amados possível que nos lançamos para os braços do Maligno sem termos disso consciência.

Vou colocar a questão em termos muito contrastantes. Mentiram-me quando me educaram dizendo que minha vida seria boa desde que fosse livre e desde que nela houvesse amor. Não me ensinaram que é geralmente em bênçãos como o amor e a liberdade que nascem as maiores maldições que, com mais ou menos consciência, lançamos a nós próprios. Instruíram-me a querer ser salvo de problemas, omitindo que os maiores problemas nascem do modo descuidado como nos entregamos às soluções. Não me explicaram que o Diabo se especializa em apodrecimento, e não em invenção. Fizeram-me pensar que o mal é a exceção quando é a regra.

Na Bíblia, o homem afasta-se de Deus, não tanto porque queria ser mais livre do que aquilo que Deus lhe permitia ser, podendo comer do fruto da árvore do conhecimento do bem e do mal, mas precisamente pelo oposto. Na Bíblia, o homem afasta-se de Deus, não porque queria ser mais livre do que Deus lhe permitia ser mas, precisamente!, porque teve medo de ser tão livre como Deus lhe permitia ser. Como assim? Basta ler o texto de Gênesis 2.

O fato de haver uma árvore com frutos que não podiam ser comidos pressupunha que o homem era desafiado a aceitar sua liberdade em termos de confiar em Deus. Ser livre nas Escrituras é um conceito que não pressupõe independência, mas dependência. O ponto óbvio de Deus criar o homem é ser criada uma ligação entre ambos, e não uma desligação. A partir do momento que temos uma teologia da criação, temos uma teologia da relação. Isso significa que, havendo uma teologia da criação, há igualmente uma compreensão de quem o homem é a partir da ligação que ele estabelece com quem o criou. Logo, ser homem é viver em relação com o Criador. Qualquer outra característica, como a liberdade, é subsidiária da teologia da criação.

A teologia da criação significa que Deus é o único agente absolutamente livre porque criou porque quis (como já vos falei). A criatura não é absolutamente livre porque só existe a partir da liberdade de alguém além de si, que neste caso é Deus. Uma teologia da criação pressupõe sempre que a liberdade da criatura é irremediavelmente qualificada. Nenhum homem é puramente livre porque nenhum homem se autocriou. Logo, qualquer relação que a criatura tenha com a liberdade assenta na relação prévia que essa criatura tem com o Criador. O homem só pode ser entendido como livre estando preso a uma liberdade que lhe seja dada pelo único verdadeiramente livre que é Deus. Em termos exatos, nenhum homem é livre independentemente de Deus.

Por outro lado, o único verdadeiramente possuidor do livre-arbítrio é Deus. Deus é a única personagem que nas Escrituras se comporta para fazer aquilo que lhe der, como em bom português se diz, na real gana. Deus quis criar e criou. Deus quis descriar no dilúvio e descriou. E por aí fora. Sim, podemos dizer numa acepção bastante qualificada que o homem é livre. Mas quando apuramos os termos em que a liberdade do homem existe talvez seja mais fácil usarmos outra expressão, ou fazermos tantas especificações acerca da palavra liberdade que parece que ela perde suas propriedades tradicionais.

A entrada da serpente no relato do Gênesis, no capítulo 3, traz ruptura ao que até então era harmônico. Gênesis 2.16-17 diz: "E o SENHOR Deus lhes deu esta ordem: De toda a árvore do jardim comerás livremente, mas da árvore do conhecimento do bem e do mal não comerás; porque, no dia em que dela comeres, certamente morrerás". É curioso, mas a proibição aparece em termos de uma liberdade: Adão e Eva são livres para comer de todas as árvores, exceto de uma. Não será, por isso, casual que a própria serpente tente logo provocar um equívoco no entendimento certo da ordem divina. Gênesis 3.1b diz "É assim que Deus disse: não comerás de toda a árvore do jardim?". Ou seja, a serpente é a primeira a colocar em causa a qualidade da liberdade que Deus dá ao homem, dando-lhe uma liberdade para muito (comer de todas as árvores do jardim), simultânea a não ser livre para pouco (não comer da árvore do conhecimento do bem e do mal). No Gênesis não é contraditório ser livre para muito e não ser livre para pouco. Mas a serpente vai sugerir que, sim, isso é inaceitável. A serpente sugere que o pouco que Adão e Eva não eram livres (para comer da árvore do conhecimento do bem e do mal) era, no fundo, não ser livre para muito — a serpente mente tornando uma coisa aquilo que ela não é. A primeira tentação passa por aqui e põe o Diabo a insinuar que é mau termos liberdade para muito não tendo liberdade para pouco.

Até essa insinuação acontecer, Adão e Eva viveriam feliz com o fato de terem uma liberdade extensa, temperada pelo fato de não terem liberdade para comerem dos frutos de uma só árvore. No paraíso, a liberdade não deixava de ser boa por não permitir tudo. Se quisermos ser rigorosos em termos filosóficos, a liberdade no paraíso era perfeita em sua limitação. O fato de não termos liberdade para tudo não significava que sermos limitadamente livres era insuficiente. Quem vem usar a ideia de que a liberdade só é boa quando é total foi a serpente. Logo, e se quisermos levar esse argumento à sua conclusão, o Diabo é o autor da ideia de que a liberdade só é liberdade se for total. Deus discorda porque, para ele, o homem ser limitadamente livre é a liberdade possível e desejável para a criatura.

Eva corrige a insinuação da serpente, mas a serpente não desarma. A serpente vai dizer que eles não morrerão se comerem do fruto, pelo contrário. Segundo a serpente, "Deus sabe que no dia em que comerdes [do fruto da árvore do conhecimento do bem e do mal] se vos abrirão os olhos e, como Deus, sereis conhecedores do bem e do mal" (3.5). A serpente é quem sugere a ideia de que qualidade humana, para ser qualidade, tem de ser igual à qualidade divina. Se quisermos ir mais longe, a serpente é a inventora da tese de que liberdade humana, para ser liberdade, tem de ser igual à liberdade de Deus.

Uma das conclusões que tiramos daqui é que a serpente é a suprema invejosa. A serpente não sabe viver sem querer o mesmo que Deus tem. E o sucesso da serpente passa em grande parte por ela ter sabido apelar a uma inveja semelhante nas criaturas. A partir desse momento, a inveja de Eva torna-se semelhante à inveja da serpente e ela dispõe-se a não confiar no que Deus lhe disse para confiar, mas no que lhe disse a serpente (3.6). Nosso problema moderno com a liberdade é a continuação previsível do problema antigo de Eva com a liberdade: a inveja pelas qualidades divinas faz-nos acreditar em qualquer coisa que pareça nos dar essas mesmas qualidades. A partir do momento que Eva acredita que, comendo, ela pode ter o mesmo conhecimento de Deus, ela já caiu. A partir do momento que acreditamos que podemos ser iguais a Deus, já caímos.

Logo, nossa obsessão pela liberdade é apenas a mais arcaica reedição da inveja estúpida de Eva (e de Adão), patrocinada pela inveja mais sabida da serpente. A ironia é que, quando olhamos para o texto bíblico, percebemos que querermos ser mais livres do que somos é perdermos a oportunidade de sermos tão livres quanto Deus nos permite ser. Daí podermos regressar à afirmação de há pouco: o homem afasta-se de Deus não tanto porque queria ser mais livre do que aquilo que Deus lhe permitia ser, podendo comer do fruto da árvore do conhecimento do bem e do mal (apesar de esse desejo também participar do processo da queda), mas precisamente porque teve medo de ser tão livre como Deus lhe permitia ser.

Qual é a liberdade que Deus nos permite e que, paradoxalmente, Adão e Eva puseram a perder? Essa liberdade, que não corresponde a poder fazer tudo o que queremos, é viver da confiança em Deus. A partir do momento que Adão e Eva confiaram na serpente, desconfiaram de Deus. A partir do momento que Adão e Eva confiaram na ideia de que poderiam ser tão conhecedores como Deus — tão livres como Deus —, quebraram a confiança que tinham nele para viverem satisfeitos no plano limitadamente livre para o qual tinham sido criados.

Hoje nós continuamos a desconfiar de qualquer liberdade que não seja total. Pior ainda, consideramo-nos talhados para essa liberdade total. Essa presunção torna-nos crédulos para a conversa de qualquer serpente, seja ela mais ou menos sabida. Essa é uma das ingênuas tolices da modernidade, a de esquecer flagrantemente que acreditar em ideias delirantes de liberdade total é o truque mais antigo para enganar homens e mulheres. Quanto mais avançamos na história, mais nos esquecemos de seus relatos mais antigos.

Por outro lado, nossa presunção de liberdade encerra-nos noutro erro fatal. Por nos considerarmos irreversivelmente criados para uma postiça liberdade total, esquecemo-nos de que nosso medo não nasce da ausência da liberdade, mas precisamente de sua presença. Como assim? Uma vez mais, as Escrituras elucidam-nos.

Na Bíblia, a verdadeira liberdade — aquela que é qualificada pelo fato de só sermos livres quando confiamos em Deus — não é uma coisa que os seres humanos passam a vida a procurar. Pelo contrário, a verdadeira liberdade é na Bíblia uma característica que assusta homens e mulheres. Não somos livres porque temos medo de sermos livres, confiando em Deus. Se isso é visível no Antigo Testamento (logo no Gênesis como vimos, por exemplo), é fundamentalmente visível na vida de Jesus.

Jesus assusta as pessoas porque ele tem o descaramento de insinuar que a verdadeira liberdade é ele próprio. E o que fazem as pessoas diante desse tipo de afirmações? No geral, afastam-se dele. É verdade que uns quantos confiam a ponto de serem libertados dos seus problemas (sejam eles espirituais, físicos ou uma mistura do dois), mas a grande maioria fica por ser alcançada por essa liberdade chamada Cristo. Ser livre é difícil na Bíblia. E aqueles que são livres, são livres porque foi Jesus que veio até eles (esse tema é especialmente visível no Evangelho de João).

Por que me irrito tanto com o otimismo antropológico que nós gostamos de idealizar? Porque esse otimismo antropológico apenas contribui para nos impedir de chegarmos à verdadeira liberdade que nos é possível. A verdadeira liberdade que nos é possível não é estupidamente total, como que independente do fato de sermos criaturas incapazes de milhões de desejos que possamos abrigar. A verdadeira liberdade que nos é possível é abençoadamente limitada, temperada pelo fato de só sermos livres condicionalmente, quando confiamos em Deus. A piada, verdadeiramente hebraica e calvinista, porque cheia de humor negro, é que quanto mais confiamos em Deus, mais nos descobrimos capazes de coisas das quais sempre tivemos medo. Acharmos que o ser humano é uma criatura naturalmente talhada para o livre-arbítrio é um dos maiores impedimentos para a verdadeira liberdade que é Jesus Cristo.

A luz trazida pelas trevas noturnas

Noites de pavor não foram inauguradas na minha vida em Seattle. Quando tinha quase onze anos li um texto sobre o Jack, o Estripador, numa coluna de uma revista onde colaborava o criminologista Artur Varatojo, acerca dos crimes de White Chapel. Fiquei tão impressionado que nessa noite não consegui dormir: num pesadelo terrível o Jack, o Estripador, entrava pelo meu quarto e apunhalava-me na minha cama. Em pânico, fui ter ao quarto dos meus pais onde acabei por passar essa noite. A essa, somaram-se mais trezentas e sessenta e tal, já não no quarto dos meus pais, mas no quarto das minhas irmãs.

Recordo então uma lista de versos da Bíblia que a minha mãe me deu para ler para combater os terrores noturnos que durante mais de um ano me atormentaram. Um deles era Romanos 8, versos 38 e 39. Apesar de ler esses textos, na época parecia que não surtiam grande efeito. Hoje, mais de trinta anos depois, cada vez que leio estas palavras, não consigo esquecer o coração da minha mãe. Elas dizem assim: "Porque eu estou bem certo de que nem a morte, nem a vida, nem os anjos, nem os principados, nem as coisas do presente, nem do porvir, nem os poderes, nem a altura, nem a profundidade, nem qualquer outra criatura poderá separar-nos do amor de Deus, que está em Cristo Jesus, nosso Senhor". O amor da minha mãe ajudou-me a ir ao Pai do céu, e a palavra, que há trinta anos ainda não me permitia dormir, hoje dá-me mais tranquilidade.

Mas essa tranquilidade, extraída de Romanos 8.38-39, cresce hoje porque voltou também a crescer a necessidade de ser consolado pela palavra no meio dos pavores noturnos. É interessante que, ao chegar aos quarenta anos, eu tenha sido restituído ao rapazinho de onze anos. Sei que é uma enorme simplificação, mas olho para os anos da pré-adolescência, da adolescência, da juventude e da maturidade, como anos que, sendo a maioria dos dias da minha vida, me convenceram de uma autonomia que não é assim tão segura. Se dormi descansadamente dos doze aos trinta e nove, também dormi descansadamente porque me distraí e considerei que crescer era, de certo modo, partir do princípio de que trevas noturnas eram uma exceção na existência de um homem.

Com o regresso das trevas noturnas, regressou também a minha autoimagem dos onze anos, de um rapaz que de tal modo depende da força dos outros que nem sequer é capaz de dormir descansado. Voltei, mais do que nunca, a precisar novamente de um pai, que me assegurasse algo tão ridículo e banal como uma noite dormida sem medo. Por isso, a memória do exemplo do meu pai, Henrique, e da minha mãe, Eunice, a cuidarem do seu amedrontado pré-adolescente por meio de listas de textos bíblicos, veio do passado para me explicar que o pai mais competente para fazer o mesmo, agora na meia-idade, era mesmo o Pai do céu. A solução está no mesmo lugar: na palavra de Deus que nunca falha.

Passei a olhar para a Bíblia com mais atenção. Por exemplo, passei a olhar, com olhos de ver mesmo, para o fato de grande parte dos Salmos serem lutas contra pavores noturnos. Passei a olhar, com olhos de ver mesmo, que a noite de sofrimento do nosso Senhor, no jardim do Getsêmani, é, de certo modo, também uma noite de pavor noturno, em que não há sono que o possa valer. Passei a olhar, com olhos de ver mesmo, que a vida das pessoas na Bíblia é muito mais acerca da pertinência dos pavores noturnos do que gostaríamos de admitir. Passei a olhar, com olhos de ver mesmo, para o fato de as crianças, no meio dos seus medos das trevas, serem testemunhas mais eficazes acerca do que a existência é do que o adulto que os enxota como se fossem um disparate.

Na Bíblia as crianças são um exemplo que Jesus nos recomenda, não porque mantêm uma inocência de que precisamos, mas porque, na hora de anunciarem suas necessidades, necessidade essas que passam também por amparo para os terrores noturnos, não têm qualquer pudor em chamarem um pai para resolver o assunto. Uma das piores coisas da maturidade é educarmo-nos a não precisarmos de um pai, como se fôssemos órfãos autossuficientes, e convencermo-nos de que a noite não tem trevas capazes de nos engolirem vivos. Para mudarmos de ideia, precisamos tão somente voltar a ter uma noite em que as trevas nos engulam vivos — a partir daí clamaremos de novo, e sem vergonha qualquer, por um pai que nos valha.

Precisamos ser como as crianças, não porque elas preservam uma luz de que nos esquecemos, mas porque elas mantêm um medo das trevas que é um guia muito mais seguro para nos levar à necessidade de Deus Pai. Como temos um déficit de trevas em nossa vida, temos um déficit de necessidade de Deus Pai. É uma lição dolorosa, mas que eu e muitos têm compreendido.

Pior que a falta de objetividade de uma criança é a de um adulto

Quando Jean Piaget publicou em 1923 o livro *Le langage et la pensée chez l'enfant*,[4] uma das suas teses é que se a

---

[4] *A linguagem e o pensamento da criança* (São Paulo: Martins Fontes, 1999).
 Aprender sobre crianças talvez não seja assim tão diferente de aprender sobre os pássaros — faz-nos contemplar um mundo belo na

criança, quando comparada com o adulto, parecia mais social e incapaz de uma reflexão sozinha e sólida, isso era fundamentalmente porque sua incontinência verbal se devia a não saber guardar uma coisa apenas para si. Aliás, com sinceridade, o que é este livro que escrevo se não uma obra genuinamente infantil? O que é verdadeiramente à semelhança da criança não é o que ela faz de um modo mais inocente, mas é o que ela não é capaz de fazer sem ser em relação aos outros. Quando uma criança fala, o que ela fala é menos importante do que o fato de que ela precisa falar, alertava Piaget. A criança, podemos dizer, não fala para exprimir um pensamento, como gostamos que assim aconteça conosco adultos, mas a criança pensa em voz alta, enquanto fala.

De certo modo, quanto mais pensamos no que vamos dizer, mais provável é que não digamos coisa alguma. É por isso que algo como uma oração se torna mais distante, demasiado dependente das explicações prévias que possam servir de autorização intelectual para sua prática. É por isso que algo como o lamento se torna incômodo, não muito diferente do choro de um bebê. É por isso que algo como o medo se torna embaraçoso, porque só é aceitável se existirem razões logicamente proporcionais. Devemos ser como as crianças, ensinava Jesus, também porque elas nos mantêm na condição em que algo tão desprestigiante como o grito pelo pai continua a ser pertinente. O Tiago de onze anos com medo do Jack, o

aceitação de sua completa insuficiência. Jesus mandou olharmos para os pássaros e, ao aconselhar-nos as crianças como modelo, olhar também para elas. Sem idealizações ou elogios desnecessários. Nessa medida, Jean Piaget observou esse mandamento de prestar atenção às crianças.

Estripador, falecido quase um século antes, sabia mais da realidade do que aquele que amadureceu tomando esses pavores noturnos como absurdos. Quem tem medo de fantasmas, aceita mais facilmente a paz de um Deus que se faz homem. Quem não tem, talvez não precise dele para grande coisa.

Piaget explicava que a necessidade de educar uma criança é também o meio para que ela não permaneça em seu egocentrismo natural, que a impede, por exemplo, de ser objetiva como os adultos se sentem forçados a ser. Não há nada de errado em encaminhar a criança a um raciocínio lógico que saiba distinguir a realidade da fantasia — o contrário é que seria terrível. Mas creio que podemos reconhecer que, se mantivermos a maturidade como um tipo de antídoto contra assumir as carências enormes do nosso espírito, então o que colheremos daí será muito mais trágico do que a falta de objetividade da criança: será a falta de objetividade do adulto. Se a criança precisa de ajuda de um pai para descobrir o mundo além de si mesma, o adulto talvez precise reconhecer o mundo dentro de si mesmo para precisar de um pai.

Minas em vez de montanhas

Para quem cresce numa igreja evangélica, é provável que o salmo 23 seja aquele que mais vezes ouviu na vida. Em grande parte, o salmo 23 é um cântico de consolo. Mas creio que, conforme a experiência e a atenção que aplicamos quando o lemos, o tipo de consolo que dele extraímos pode atingir maior profundidade. Durante a maior parte da vida li, ouvi e recitei o salmo 23 concentrando-me especialmente numa lição: não há lugar, por mais ensombrado pela morte que seja, em que não sejamos acompanhados por Deus. Afinal, "ainda que eu ande pelo vale da sombra da morte, não temerei mal nenhum, porque tu estás comigo; o teu bordão e o teu cajado me consolam". Faltava-me, no entanto, conceder que esse consolo vinha com um avesso.

Quando se admite que, pela via positiva, Deus está conosco em qualquer lugar, por mais escuro e remoto que possa ser, também é preciso reconhecer, pela negativa, que qualquer lugar, por solar e muito habitado que seja, pode tornar-se ensombrado. O único limite para o alcance das trevas, nos mapas da nossa vida, é aquele que Deus, em sua misericórdia, nos concede. Mas talvez fosse melhor reconhecermos que, pelo fato de evitarmos as vias negativas, extraímos do salmo 23 o consolo imediato sem que o seu efeito possa ir mais fundo, precisamente pela consciência do que ele deixa implícito. Nesta vida qualquer lugar se pode tornar um vale da sombra da morte. É por isso que a presença de Cristo é tão importante.

O jornalista brasileiro Ricardo Boechat, falecido recentemente num acidente de helicóptero, ao atravessar uma depressão, confessou numa entrevista algo parecido com esta via negativa, ainda que noutra forma: "Eu sou ateu [...] mas descobri que metade do que a Bíblia fala é verdade. Qual metade? A do inferno. Porque quando você tem depressão, você descobre que, de fato, o inferno existe. E mais do que isso, você descobre que ele tem graduações. [...] O inferno tem a cobertura, vista para o mar, o Diabo, convidados, champanhe, ar-condicionado. Aí você vai descendo e chega lá no subsolo, no oitavo subsolo onde ficam o genro dele, a sogra dele, o advogado dele, e lá é que ele te põe quando você tem depressão — *é a pior coisa que tem*".[5]

A vantagem de termos um homem sem fé a dizer-nos coisas numa linguagem tão intensa é que talvez ele possa aquilo que muitas vezes temem os que têm fé religiosa: ser absolutamente sincero na surpresa que sentimos diante de um sofrimento novo e muito maior do que julgávamos possível. A ironia é que quanto mais os crentes se inibem de usar uma linguagem apavoradamente sincera para descrever os sofrimentos que atravessam, menos convincentes se tornam ao oferecer a solução que é Jesus. No fundo, é como se Jesus só pudesse ser apreciado como a salvação para uma vida que, apesar de tudo, não pode descer assim tão baixo. O pudor que os cristãos usam na descrição do seu sofrimento é o poder que perdem para demonstrarem Cristo como a resposta para todo ele. Por isso mesmo, a Bíblia não é envergonhada na hora de descrever os detalhes das agruras que uma alma humana pode sentir. Infelizmente, muitos cristãos tendem a ser.

A falta de linguagem que temos e cultivamos para falar em nosso sofrimento torna-nos mais indefesos diante dele. Na tarefa da própria evangelização, damos um tiro no pé quando apresentamos um evangelho que

---

[5] Entrevista de Ricardo Boechat a Eduardo Barão, da BandNews FM, disponível em: <https://www.youtube.com/watch?v=YWwfrMaT0Pw>. Acesso em 31 de julho de 2020.
  Não conhecia Ricardo Boechat até ouvir falar em sua morte trágica. O modo como tratou do assunto da depressão pareceu-me desempoeirado e necessário.

filtrou para fora de seu discurso os abismos da existência — os cristãos deviam ser primeiramente exploradores de grutas, e só depois alpinistas. Sem convicção a falar acerca do que é mau, diminui a pertinência falando no que é bom. Numa época que se encanta da paisagem vasta e arejada da montanha, é preciso os cristãos chegarem com a cinza e a falta de oxigênio de quem rastejou para fora da mina. Menos que isso é abraçar uma visão turística e apressada do que a vida é.

O idioma da ruína espiritual está tão afastado de nosso imaginário que é preciso um quadro clínico como a depressão para se conseguir algum espaço mental para ela. Estamos tão conceitualmente empobrecidos que só aceitamos o sofrimento quando ele é acompanhado de um atestado médico. Até os males da alma só podem ser considerados se a pretexto dos doutores do corpo. Parece que a ciência progride na proporção inversa do conhecimento do espírito. Ninguém sai edificado daqui porque para que alguma coisa resista é preciso alicerces que têm de ir fundo nas covas do solo. Como ultimamente tenho aprendido no salmo 23, a companhia do pastor é tão mais preciosa porque ela responde à companhia anterior das trevas. Provavelmente os que mais valorizam o pastor são também os mais ensombrados.

O Pastor pastoreia através da Igreja

No final deste livro, é importante afirmar que a presença do pastor Jesus é mais palpável quando é necessária, no meio das trevas, e é mais palpável quando se pode apalpar mesmo em carne e osso através da Igreja. Se os cristãos evangélicos, com razão, se queixam no catolicismo da falta de contornos nítidos da salvação individual, creio que podemos reconhecer com a humildade possível que nos faltam contornos nítidos para a salvação individual materializada corporativamente, além de nós mesmos. Ou seja, o protestantismo, corretamente obcecado com a soteriologia, a doutrina da salvação pessoal e sua eficácia, tende a ficar com uma eclesiologia de papel, como se a salvação pessoal fosse o fim da história, isolada e cada vez mais abstrata, perdida em algum lugar na cabeça da pessoa redimida. As crises de muitos evangélicos também são maiores porque demasiados deles vivem com uma concepção frágil do que a Igreja é, esquecendo-se de que, se é certo que não somos salvos pela Igreja, como acreditamos que o catolicismo no fundo crê, a verdade é que não somos salvos sem ser para a Igreja, como as Escrituras confirmam.

Há entre protestantismo e catolicismo diferenças insanáveis acerca da continuidade da encarnação de Cristo no ministério da Igreja. Em grande parte, o catolicismo olha para a Igreja neste mundo como a continuação de Cristo nele, enquanto o protestantismo tende a ser mais sensível ao que é diferente entre este e aquela. Roma sempre foi acerca das harmonias onde nós, protestantes, nos especializamos nas dissonâncias. Num artigo fascinante chamado "O enevoamento das distinções de tempo no catolicismo romano", Leonardo De Chirico, teólogo e pastor batista italiano, explica que "o catolicismo romano criou uma separação crucial nos limites entre o *hapax* [palavra grega para aquilo que é feito de uma vez por todas, o "está consumado"] e o *mallon* [palavra grega para aquilo que é feito para todo o sempre, o que está em progresso] através de sua compreensão da Igreja como a continuação da encarnação [...], sobretudo nas doutrinas da Eucaristia e da revelação".[6] Que consequências maiores vêm daqui?

"O gesto de destruir a natureza única e definitiva da encarnação com sua conclusão gloriosa na ascensão implica a transferência da missão do Filho de Cristo para a Igreja. Derrubando o *hapax* (de uma vez por todas) da encarnação a favor da sua continuação através da Igreja, as prerrogativas de Cristo são alinhadas com as da Igreja. A mediação única dobra-se à mediação da Igreja. A autoridade régia de Cristo é absorvida no poder jurídico da Igreja. A revelação final de Cristo é consequentemente administrada pelo ofício magisterial da Igreja e, tendo em conta que também abarca a tradição oral, resulta frequentemente noutras verdades que não são atestadas na revelação bíblica." Essa é fundamentalmente a razão porque apontamos no catolicismo a dimensão coletiva a atropelar a individual, tornando a conversão à Igreja a conversão a Cristo — e dizemos: Alto lá! Esta dança é para dançarmos mesmo sozinhos.

Mas não fica difícil reconhecer que nós, protestantes, tendemos ao excesso oposto, tornando a Igreja apenas um

---

[6] "The Blurring Of Time Distinctions In Roman Catholicism", disponível em: <https://www.thegospelcoalition.org/themelios/article/the-blurring-of-time-distinctions-in-roman-catholicism/>. Acesso em 5 de agosto de 2020.

Leonardo De Chirico, que pastoreia uma igreja batista em Roma, é, em nível mundial, um dos pensadores protestantes mais entendidos em catolicismo. O seu blogue, *The Vatican Files*, é um lugar de compreensão que esclarece os da Reforma sem perder o respeito aos de Roma.

extra opcional ao dispor de quem já dispõe da salvação pessoal, como se a Igreja não fosse mesmo o que a Bíblia diz que ela é: o Corpo de Cristo. E caímos numa triste ironia que torna hoje o assunto da importância da Igreja ser o menos popular de pregar em muitas igrejas evangélicas. A eclesiologia tornou-se um tema anorético entre os evangélicos, sem força para sequer levantar uma pena do chão, como se as Escrituras não fossem claras acerca da importância da Igreja e objetivas acerca dos modos como ela deve agir. Nesse sentido, nossa hipersoteriologia bem merece o escárnio católico e ajuda a explicar por que tantos jovens protestantes se embeiçam por Roma.

Minha queixa em relação a este assunto faz-se porque o bordão e o cajado do pastor Jesus no vale da sombra da morte acontecem neste tempo, em que ele está à direita do Pai após a ascensão, também através, e ainda que de uma maneira distinta, da Igreja. Como De Chirico alertava, devemos compreender a relação de interdependência entre o que é de uma vez por todas e o que é continuamente. Se nosso sofrimento não é realmente acompanhado pela Igreja, não é realmente acompanhado por Cristo. Se nossa comunidade cristã local não acompanha nossas angústias, podemos crer que passamos pelo vale da sombra da morte com um fantasma, e não com o pastor palpável que nos fará atravessá-lo. O pastor Jesus pastoreia-nos através das trevas desta vida através da Igreja. É importante insistir nessa tecla porque, num livro que tanto fala sobre escuridão, é importante afirmá-la à moda da Bíblia, não fugindo do tratamento que ela recomenda.

Sem a Igreja da Lapa não estaria a escrever estas linhas, tão exageradamente melodramáticas quanto sinceras. Sem o presbitério, constituído pelos pastores Ricardo Oliveira, Filipe Sousa e Mark Bustrum, sem os diáconos (Sérgio e Fernanda, Tiago e Eunice, Manuel e Mariana, Hugo e Sara), e sem todos os membros da igreja, não haveria *Arame farpado no paraíso* para contar. Sei que Cristo está comigo, amparando-me e permitindo-me escrever este livro porque a minha comunidade cristã local está comigo.

Por último, sei que Cristo está comigo também porque a minha família está comigo. Que consolo é saber que Cristo estaria comigo ainda que a minha família não estivesse; mas que bênção inexprimível é a de Cristo estar comigo também por a minha família comigo estar! Reconheço que uma das tarefas que cabe a qualquer pessoa que descubra arames farpados em alegados paraísos é não arrastar a sombra dessa experiência para sua casa. Conseguem imaginar o amor que tenho recebido da minha mulher Ana Rute e dos nossos filhos Maria, Marta Joaquim e Caleb ao acompanharem-me pelos cumes do êxito e pelas camas de Seattle? Apesar de também vos ter falado em solidão, reconheço que me tenho visto surpreso mas, neste sentido, nunca sozinho.

Poslúdio

Estamos numa fantástica casa junto a um lago, perto de Jackson, Mississippi, a ver projetado numa grande tela um filme do Ridley Scott, *The Martian* (no Brasil, *Perdido em Marte*), e o Caleb pergunta: "Estás a gostar, Joaquim? Eu estou". O irmão responde-lhe que sim, e sou apanhado de surpresa. Há tantas coisas destas que os meus filhos dizem e fazem que gostaria que nunca saíssem da minha memória, e esta é provavelmente mais uma.

Por que será que eu, como tantos, me habituei tão facilmente a lidar sozinho com a beleza? Por que razão eu, como tantos, prefiro que os outros me considerem bom, em vez de viver o que é bom com os outros? Não estou a sugerir uma sabedoria imensa por parte dos meus rapazes, na suposta inocência da idade que têm (quando escrevo isto, o Caleb tem 9 anos e o Joaquim quase 12). Mas certamente reconheço que aquele diálogo espontâneo mostra no Caleb uma naturalidade de juntar o que é bom aos que ama, naturalidade essa que tanto me escapa.

Com todas as dificuldades que confessei acerca de amar e ser amado neste livro, quero terminá-lo com a clareza possível em relação ao assunto. E desejo ser claro e conciso neste assunto do amor porque tem sido o amor que me ergue diariamente. Não um amor qualquer ou sequer uma imitação dele. Em primeiro lugar, e como base de tudo o mais, ergue-me o amor de Deus Pai, Filho e Espírito Santo por mim. O amor existe por causa de Deus, e não o contrário. Sou a prova disso.

Em segundo lugar, ergue-me o amor da minha mulher, a Ana Rute. Este é um amor especial porque representa na minha vida de agora o amor entre Cristo e a Igreja que será também físico na vida eterna. Por todas as razões e mais algumas, algumas bem visíveis nestas páginas, a minha mulher não tem uma vida fácil em amar-me. E tento impedir-me de falar muito mais nisto porque todas as palavras me parecem sempre demasiado inadequadas e em busca de justificar aquilo que só tenho dela porque o amor é assim mesmo: cem por cento dádiva. De merecimento tem zero.

Ergue-me o amor dos meus filhos, por enquanto provavelmente ainda demasiado novos para compreenderem como aquilo que me dão me parece tão maior do que o que lhes tenho dado. Ergue-me o amor dos meus pais, das minhas irmãs. Ergue-me o amor da minha Igreja, dos seus pastores, diáconos e membros, sem os quais não estaria agora onde estou. Ergue-me o amor dos meus amigos, inexplicavelmente tão bons e tantos.

Sou erguido, esta é verdade. Agora que termino um livro que queria mostrar o Brasil visto de fora e um pastor visto por dentro, duvido honestamente da pertinência das minhas observações acerca de um país que visitei e acerca de mim. Mas quero insistir que me senti derrubado por este país e, nessa queda, verbalizar o que senti no processo do tombo, com todas as coisas boas e, sobretudo, enfatizando as más. Afinal, só precisa levantar-se quem não está de pé. O caminho à frente é erguer-me. Aliás, como coloquei melhor no início destes últimos parágrafos, ser erguido.

Estão a gostar do filme? Eu estou.

Sobre o autor

Tiago Cavaco é pastor da Igreja da Lapa, em Lisboa, Portugal. É formado em Ciências da Comunicação pela Universidade Nova de Lisboa. Músico, compositor e cantor, fundou, com Samuel Úria, a editora musical FlorCaveira. Escreve regularmente em seu blogue *Voz do Deserto* (vozdodeserto.blogspot.com). É casado com Ana Rute e pai de Maria, Marta, Joaquim e Caleb.

Compartilhe suas impressões de leitura,
mencionando o título da obra, pelo e-mail
opiniao-do-leitor@mundocristao.com.br
ou por nossas redes sociais

Esta obra foi composta com tipografia Janson Text
e impressa em papel Holmen Book Creme 60 g/m² na gráfica Geográfica